LA COMEDIA NUEVA

y

EL SÍ DE LAS NIÑAS

clásicos Castalia

LEANDRO FERNÁNDEZ DE MORATÍN

LA COMEDIA NUEVA
EL SÍ DE LAS NIÑAS

Ediciones,
introducciones y notas
de
JOHN DOWLING Y RENÉ ANDIOC

QUINTA EDICIÓN

clásicos castalia

Madrid

Copyright © Editorial Castalia, S. A., 1987
Zurbano, 39 - 28010 Madrid - Tel. 419 58 57

Cubierta de Víctor Sanz

Impreso en España - Printed in Spain
Unigraf, S. A. Móstoles (Madrid)

I.S.B.N.: 84-7039-057-0
Depósito Legal: M. 21.255-1987

SUMARIO

INTRODUCCIÓN
BIOGRÁFICA Y CRÍTICA

VIDA Y ACTIVIDAD LITERARIA DE MORATÍN

L EANDRO Fernández de Moratín, hijo del abogado
y conocido escritor Nicolás Fernández de Moratín,
de noble familia asturiana, nació en Madrid el 10 de
marzo de 1760, a principios del reinado de Carlos III.
De su niñez sabemos poco: en su fragmento de autobiografía, [1] cuenta que a los cuatro años estuvo a punto
de perder la vida a consecuencia de las viruelas y que
dicha enfermedad le hizo "reservado y poco social"
con los extraños. Estudió en una escuela de primeras
letras, pero el ejemplo paterno, las conversaciones literarias de los amigos de don Nicolás, y la escogida biblioteca de éste despertaron en el joven don Leandro una
temprana afición a la lectura: Manuel Silvela [2] afirma
que "por este tiempo", esto es a los nueve o diez años,
se anunciaba ya su talento poético. Una mudanza le
permitió intimar con la familia de Ignazio Bernascone,
militar italiano que redactó el prólogo de la *Hormesinda*
de Moratín padre; allí conoció a Sabina Conti, hija del
conde Tullio Antonio Conti y de Isabella Bernascone:
dicha Sabina fue, según Melón, el primer amor infantil
de don Leandro y contrajo luego matrimonio con su
primo, el literato Giambattista Conti, hacia 1780. Se
viene suponiendo, no sin serios motivos, que la primera

---

[1] *Obras Póstumas*, M., 1867, III, p. 301-306.
[2] *Ibid.*, I, p. 7.

comedia del autor, *El viejo y la niña,* se inspiró en este casamiento desigual. [3] Sin embargo, ni esta obra, ni *El sí de las niñas* pueden reducirse a su aspecto autobiográfico: el tema de la libertad de la joven (y el de los límites de la autoridad paterna) en asuntos matrimoniales era entonces muy actual, como veremos más adelante en el estudio dedicado a la última comedia moratiniana; pero sí es muy probable que el consorcio de la joven Lícoris con un viejo (¿fue esta amiga la misma doña Sabina?), al que alude Juan Antonio Melón, biógrafo del autor, [4] le hizo más sensible a los conflictos originados por dichas uniones; así se podría explicar en cierta medida el papel fundamental que desempeñan en esas dos comedias. Por otra parte, Conti fue para don Leandro un buen maestro de poética, como se puede inferir del soneto *A don Juan Bautista Conti,* escrito hacia 1781. [5]

Nicolás Moratín —que servía en la real guardajoyas al nacer don Leandro— fue favorecido por la reina Isabel Farnesio quien le costeó los estudios en Valladolid; su propia experiencia de estudiante le hizo desistir de enviar a su hijo a la universidad de Alcalá como se lo aconsejaban varios amigos movidos de las prendas del joven, por miedo a que los malos métodos de enseñanza, denunciados por muchos escritores ilustrados, "le echasen a perder". [6] Prefirió hacerle aprender el dibujo y formó luego el proyecto de enviarle a Roma a estudiar con el célebre pintor Antonio Rafael Mengs, pero el plan fracasó por oposición de la madre y don Leandro empezó a trabajar en la Joyería del Rey, al lado de su tío Victorio Galeoti. Como se ve, pues, el futuro autor de *La comedia nueva* fue en cierta medida un autodidacto. Sus mejores amigos, Melón, José

---

[3] Conti nació en 1741; por lo tanto no era exactamente un "viejo", pues no llegaba aún a los cuarenta; pero Moratín no pasaba de veinte, y es de creer que sería aún más joven la "niña".

[4] *O. P.,* III, p. 386.

[5] *Biblioteca de Autores Españoles,* II, p. 597.

[6] *O. P.,* I, p. 8.

Antonio Conde, Forner, etc., poseían diplomas universitarios, y por lo tanto podían pretender ciertos altos
empleos. En cambio, Moratín estaba precisado a contar
más que cualquier otro con el favor de los poderosos,
y la inestabilidad de los ministerios de los que dependía
su suerte puede explicar ciertos aspectos de su psicolo-
gía.

Después de muerto su padre, con sus 12 y más
tarde 14 reales diarios de salario, no ganaba lo suficiente para su mantenimiento y el de su madre; con
las horas extraordinarias, la pensión de la viuda y varios ingresos más pudo acudir a las necesidades de su
reducida familia, pero la minuciosidad con que apunta
sus más mínimos gastos en su diario íntimo [7] manifiesta
su constante preocupación, que había de ser la de
toda su vida. Esta labor, pues, en que ocupaba la
mayor parte del día, era difícilmente compatible con
una verdadera actividad literaria. A los 19 años, en
1779, ya se le había adjudicado por la Academia el
accésit de poesía en un concurso público; reincidió
el poeta novel en 1782, ganando el segundo premio
con su *Lección poética*. En agosto del mismo año, había solicitado —en vano— un empleo en la real guardajoyas en la que sirvieran su abuelo y su padre. [8] En
esto se firma la paz con Inglaterra, y nacen los infantes
gemelos Carlos y Felipe, hijos del futuro Carlos IV
(1783): Moratín y sus amigos celebran el doble acontecimiento con poemas de circunstancias. Muerta su madre en 1785, don Leandro pasa a vivir con su tío Nicolás
Miguel y sigue andando en busca de un empleo que
le proporcione "en pocas horas de trabajo lo estrictamente necesario para mantener la vida y poder dedi-
car el resto según sus inclinaciones". [9] Entonces había empezado ya a redactar su primera obra teatral

[7] Véase L. F. de Moratín, *Diario*, M., Castalia, 1968.
[8] J. C. Dowling, "Moratín suplicante", *Rev. de Arch., Bibl. y Museos*, LXVIII, 1960, II, p. 499-503.
[9] Silvela, en *O. P.* de Moratín, p. 17.

conocida, *El viejo y la niña,* pero no pudo conseguir que se la representasen hasta 1790. Gracias a la amistad de Jovellanos, pudo emprender un viaje a Francia a principios de 1787 en calidad de secretario del conde de Cabarrús, entonces encargado de una misión en París. La ausencia duró todo el año y fue muy provechosa, como se puede suponer, para el joven escritor deseoso de "correr cortes" como sus coetáneos más favorecidos de la fortuna. De este viaje nos quedan varias cartas interesantísimas, pero las 18 publicadas con la supuesta fecha de 1787 en el tomo II de las *Obras póstumas* del autor fueron redactadas en realidad más de treinta años después por un Moratín ya viejo y sobre todo deseoso de borrar con esta superchería el recuerdo de su juventud autodidacta y forzosamente menos culta que la de sus amigos universitarios, Melón, Forner, Jovellanos, y otros. [10]

En este período se van planeando y componiendo la zarzuela *El barón,* encargo de la condesa-duquesa de Benavente, y *La mojigata.* Pero poco después del regreso a Madrid, Cabarrús fue aprisionado, y don Leandro, que entreveía la posibilidad de hacer un viaje a Gran Bretaña con los hijos del célebre estadista, vio desvanecerse sus esperanzas. Ya en diciembre de 1788 había tomado parte en el concurso para la provisión de la plaza de bibliotecario segundo de los Reales Estudios de San Isidro, pero en 12 de mayo del año siguiente fue nombrado Cándido María Trigueros, el autor de *Los menestrales;* [11] un nuevo intento de dar *El viejo y la niña* a los cómicos también había fracasado. Entonces sale a luz *La derrota de los pedantes,* mientras un romance jocoso dedicado a Floridablanca se le paga con una prestamera no muy pingüe de trescientos ducados en el obispado de Burgos, ordenán-

---

[10] R. A., "Remarques sur l'*Epistolario* de L. F. de Moratín", en *Mélanges offerts à Marcel Bataillon, Bulletin Hispanique,* LXIV *bis,* p. 285 sig.

[11] J. Simón Díaz, *Hist. del Colegio Imperial de Madrid,* M., 1959, II, p. 106.

dose de prima tonsura el agraciado en octubre de 1789.

Por entonces gozaba ya de mucha influencia Manuel Godoy. Moratín, Forner y Melón fueron presentados por un amigo guardia de corps a Luis Godoy, guardia también, y éste los recomendó a su poderoso hermano. Don Leandro obtuvo un beneficio en la iglesia parroquial de Montoro (Córdoba) y una pensión de seiscientos ducados sobre la mitra de Oviedo. Unos meses antes, el 22 de mayo de 1790, se había estrenado por fin *El viejo y la niña* en el teatro del Príncipe. Retirado en Pastrana, Moratín dirigió una solicitud al conde de Floridablanca ofreciéndose para formar parte de una proyectada Academia de Ciencias, [12] y compuso *La comedia nueva*, que también se representó en el teatro del Príncipe el 7 de febrero de 1792. A principios de abril, después de la destitución del ministro a quien sustituyó Aranda, Moratín sale para Aranjuez a gestionar un permiso para un segundo viaje a Francia, "pretextando que le convenía adquirir más conocimientos", [13] según Melón, pero también y sobre todo porque corría en Madrid la voz de una próxima caída del favorito. [14] En efecto, durante los primeros meses de su viaje —no permaneció mucho tiempo en la tierra de la Revolución, pasando luego a Inglaterra—, piensa sin cesar en la posibilidad de obtener una colocación en Madrid, y por lo tanto, en poner fin a sus andanzas en el caso de conseguirla; escribe el 5 de octubre a Godoy para sugerirle la creación de un cargo de bibliotecario del príncipe; el 20 de diciembre, le propone desde Inglaterra un plan de reforma de los teatros (solicitando el puesto de director de ellos), ya que una propuesta anterior a Floridablanca no pudo ser atendida debido a la caída del ministro; el 1 de febrero

---

[12] 18 de mayo de 1791 (Cotarelo, *Iriarte y su época*, M., 1897, p. 527-528.
[13] Bibl. Nac., Madrid, ms. 18668/3.
[14] De ahí su asombro ("obstupui") al enterarse del ascenso de su protector al ministerio (*Diario*, ed. cit., 4 dic. 1792).

del año siguiente, participa a su amigo Melón sus vacilaciones:

"¿a quál de las Hesperias dirigiré mi rápido vuelo? ¿Major aut minor?" [15]

Es que aún está esperando el resultado de la petición dirigida el 20 de diciembre a Godoy. Moratín no dispone sino de unos mil reales al mes, cuyo poder adquisitivo es inferior al que tienen en España; escribe otra vez a su protector pidiéndole un auxilio para salir de Inglaterra con destino a Italia, a no ser que se admita su petición acerca de la reforma de los teatros. Conseguida la ayuda de costa de 30.000 reales, cruza por fin el canal de la Mancha. A su estancia en el país de Shakespeare debemos entre otras obras la traducción de *Hamlet* y las *Apuntaciones sueltas de Inglaterra*.

Recorre a Italia durante unos tres años, visitando las ciudades más famosas como turista culto, [16] diríamos hoy, entrevistándose con las figuras más destacadas de las artes y las letras y con varios ex-jesuitas desterrados, entablando relaciones con diplomáticos españoles, con los becarios del colegio de San Clemente en Bolonia sin despreciar tampoco las bellezas autóctonas. De su estancia provechosa en aquella tierra da testimonio su *Viaje de Italia*, incluido en sus *Obras póstumas*.

Se embarca en Génova el 19 de septiembre de 1796 y después de una navegación llena de lances imprevistos y no todos amenos, llega por fin a Algeciras el 11 de diciembre. En Cádiz se entera de su nombramiento para Secretario de la Interpretación de Lenguas [17] en sustitución de Felipe Samaniego, nueva muestra del favor de Godoy. Jerez, Sevilla, Córdoba, Aranjuez —en donde saluda al Príncipe de la Paz—, Madrid: don

---

[15] *O. P.*, II, p. 129.
[16] Durante una de sus estancias en Roma, ingresa en la Academia de los Árcades con el seudónimo de Inarco Celenio.
[17] *Diario*, 5 en. 1797.

Leandro, provisto ya de un empleo estable y bastante parecido a una sinecura, con un sueldo de más de 28.000 reales anuales y el título de consejero honorario debido a su nuevo destino, se instala en la existencia de un alto funcionario, reanuda sus viejas amistades, compra casas en Madrid y en Pastrana, y conoce a la joven Paquita Muñoz en cuya casa vivía hospedado su amigo José Antonio Conde. [18]

1799. Moratín ha convertido ya su zarzuela *El barón* en comedia y la lee en casa de su amigo Juan Tineo, [19] con quien trabara amistad en Bolonia. No se olvida de su primer oficio y dibuja un carnero para el n.º 127 (6 de junio) del *Semanario de Agricultura* que dirige Juan Antonio Melón. [20] La compañía de Luis Navarro representa en junio *El viejo y la niña* y en julio y agosto *La comedia nueva*; el reestreno de esta última obra da lugar a un incidente sintomático: solicitado por Navarro para dirigir los ensayos, Moratín exige que los cómicos, hasta entonces acostumbrados a elegir sus papeles en función de su importancia y por otra parte no muy esmerados en su estudio, se comprometan a cumplir exactamente las condiciones impuestas por el autor; éste ha de ser quien designe a sus intérpretes, los cuales deberán obrar según las directivas que se les den y ejecutar todos los ensayos que se juzguen convenientes. Acudió don Leandro al corregidor, juez protector de los teatros, don Juan de Morales Guzmán y Tovar, para solicitar su aprobación, y el primer magistrado de la Villa y Corte contestó que suscribía a cuanto dispusiese el dramaturgo. [21] Así se hizo. Unos meses más tarde, el 21 de noviembre de 1799, una real orden confirmaba la tendencia en la que a todas luces se apoya Moratín para formular unas exigencias entonces tan fuera de lo corriente: se creaba

[18]   *Diario*, 22 mayo 1798.
[19]   *Diario*, 11 feb. 1799.
[20]   *Ibid.*, 4 ab. 1799.
[21]   R. A., "A propos d'une reprise de *La comedia nueva*, de L. F. de Moratín", *Bull. Hisp.*, LXIII, 1961, 1-2, p. 55 sig.

una junta de dirección de los teatros, destinada a reformar la escena en función de las normas neoclásicas, y se nombraba director al propio don Leandro. Habían transcurrido unos siete años desde la redacción del proyecto dirigido a Godoy desde Inglaterra: en octubre de 1793 el corregidor dio un informe más bien desfavorable sobre dicho plan y ya no se habló de él. [22] Pero en mayo de 1797 el catedrático de San Isidro Santos Díez González compuso su famosa *Idea de una reforma de los Theatros públicos de Madrid*; [23] la aprobó el corregidor y don Leandro, vuelto ya de Italia, la examinó a petición de Godoy, alabándola mucho, [24] por lo que vino a constituir el programa oficial de la Junta de dirección. Como se ve pues, la actitud amable de Morales frente a la solicitud de Moratín relativa a *La comedia nueva* manifiesta el progreso realizado por los partidarios del clasicismo, y la influencia que iban cobrando en las esferas gubernamentales; en 1798, Mariano Luis de Urquijo, amigo de Moratín y traductor de *La muerte de César* en cuyo prólogo (1791) clamaba contra la corrupción del teatro, sustituía a Saavedra en la secretaría de estado y en marzo del año siguiente, cuando se publicaron las listas de actores de la nueva temporada teatral en el *Diario de Madrid*, el juzgado de protección mandó añadir ya la siguiente nota: [25]

"Con el fin de que las funciones teatrales se executen con la propiedad que sea posible, se encargará el desempeño de los respectivos papeles no según el orden de rutina hasta aquí observado de primeros, segundos y terceros &c., y sí con respecto a la disposición que se halle en los Actores y Actrices para los caracteres que jueguen en el Drama, quando así lo exija, poniendo en ello el mayor esmero".

[22] Cánovas del Castillo, *El teatro español*, M., s.a., p. 164 sig.
[23] C. E. Kany, "Plan de reforma de los teatros de Madrid aprobado en 1799", *Rev. B. A. M. del Ayuntamiento*, julio 1929, p. 245 sig.
[24] Cánovas, op. cit., p. 178 sig.
[25] 8 de marzo de 1799, p. 271 sig.

Díez González expresaba la misma exigencia en términos casi idénticos en su citada *Idea,* [26] y para don Leandro, como ya vimos, es condición esencial de la feliz representación de *La comedia nueva.* La real orden de 21 de noviembre de 1799 consagra pues la victoria de los neoclásicos; victoria tardía, y también efímera. Cotarelo ha contado detenidamente en su *Isidoro Máiquez* [27] la actividad de la Junta y la resistencia pasiva o activa que le opusieron los partidarios de la tradición, y entre ellos el Ayuntamiento de Madrid, a quien se había desposeído de la dirección y administración de los teatros. Pero preciso es añadir que si el público comenzó entonces a retraerse, no se debió a la prohibición de algunas de las comedias más célebres del siglo XVII, tales como *La vida es sueño, El príncipe constante* o *El tejedor de Segovia.* Este teatro había dejado de interesar a la masa de los madrileños desde hacía muchos años, como lo prueba el examen de los ingresos diarios: entre las obras que no consiguieron atraer a los espectadores figuran *El mejor alcalde el rey, También hay duelo en las damas,* o *Don Lucas del Cigarral;* en su inmensa mayoría, las sesiones menos concurridas fueron las dedicadas a comedias del siglo de oro. [28] No fue pues, el "patriotismo" lo que causó la deserción de los madrileños: entre los mayores éxitos de aquel breve período figuran varias traducciones del francés, y *el más rotundo de todos* es obra de un "afrancesado" llamado Moratín, a saber, *El sí de las niñas...* La verdadera razón fue doble: por una parte, la prohibición de muchas comedias llamadas de teatro (esto es con decoraciones numerosas y una intriga apropiada), entre ellas, las de magia, que llenaban los teatros, y por otra, los dos aumentos sucesivos del precio de las localidades en poco más de un año, lo

---

[26] Kany, op. cit., p. 257.
[27] P. 75 sig.
[28] Véase J. A. Cook, *Neo-classic drama in Spain, Theory and practice,* Dallas, 1959, p. 381 sig.

cual corresponde perfectamente al deseo de eliminar al bajo pueblo, tantas veces manifestado por los partidarios de la reforma.

Sabido es que el 25 de noviembre de 1799, es decir poco después de firmada la orden real ya aludida y tal vez al enterarse de su nombramiento, Moratín presentó la dimisión de su cargo. [29] Las razones que alega en su carta al ministro Caballero, si se tiene en cuenta el estilo "diplomático" de dicho documento, parecen ser que el nuevo director no detentaba los plenos poderes que solicitara en 1792 en su memorial a Godoy, y por otra parte que deseaba gozar de una libertad suficiente para seguir dedicándose a la literatura dramática: la secretaría de la Interpretación de Lenguas le convenía perfectamente en este sentido. Después de admitida su renuncia fue sustituido por el catedrático de los Reales Estudios Andrés Navarro en 25 de diciembre y pasó luego en enero de 1800 a corregir las comedias antiguas para los teatros de la corte, cargo del que fue exonerado en julio del propio año. A Urquijo sucedió Caballero en la secretaría de estado en diciembre de 1800 y poco más de un año después de esta fecha se puso fin a las actividades de la junta, el 24 de enero de 1802, con excepción de la censura de piezas por representar.

Entre tanto, íbase redactando *El sí de las niñas* y el 12 de julio de 1801 pudo leérsela el autor a sus amigos.

1803. Ya refundida la zarzuela *El barón*, Moratín deseaba verla representar en el teatro de la Cruz cuando se enteró de que el de los Caños del Peral preparaba el estreno de la comedia *La lugareña orgullosa* del capitán Andrés de Mendoza, la cual no es más que un arreglo —en tres actos en vez de dos— de la primitiva

---

[29] En su diario no figura ninguna mención de la orden real entre el 21 y el 25. Este último día se le convoca al domicilio del corregidor por primera vez con objeto de comunicarle las decisiones relativas a la Junta de Reforma.

zarzuela moratiniana. Y en efecto, el plagio de Andrés de Mendoza se representó el día 8 de enero, esto es veinte días antes del estreno de *El barón*. ¿Cómo se explica esta "venganza poco delicada" de la asociación que patrocinaba los Caños? Una vez más, la explicación dada por Moratín en la advertencia de su comedia parece insuficiente.[30] Dicha venganza se realiza en un período en que la junta de dirección está ya desacreditada y desposeída de sus principales prerrogativas y va dirigida a todas luces contra el ex-director de dicha junta, más que contra el dramaturgo Moratín. ¿Cómo es posible —dirán— si don Leandro fue exonerado de su cargo antes de tomar posesión de él? Es cierto. Pero no por ello dejó de ser el alma de la reforma: a pesar de su dimisión, asistió durante varios meses a las juntas en calidad de vocal[31] y el propio Andrés Navarro, después de sucederle en la dirección, le consulta algunas veces en el verano de 1800. Ahora bien, en esta época se sitúa un acontecimiento anunciador del lance de *La lugareña orgullosa*: la Junta de Hospitales, que tenía arrendado el teatro de los Caños, luchó incesantemente para salvaguardar su autonomía frente a las miras unificadoras de la "Mesa censoria", y ésta se valió a veces de medios no muy ortodoxos para imponer su voluntad al llamado teatro italiano; uno de ellos fue el mandar representar en el de la Cruz la ópera *Semíramis o la venganza de Nino* casi dos semanas antes de su estreno en los Caños el día de la segunda apertura de dicho teatro, 16 de noviembre de 1800, con el pretexto de que figuraba con anterioridad en la lista del primero de los dos coliseos, cuando en realidad se trataba de sancionar la elección de dicha obra por haberse hecho sin la previa aprobación de la junta de dirección. El "affaire" de *La lugareña orgullosa* fue por lo tanto la aplicación de la pena del talión

---

[30]   *B. A. E.*, II, p. 373.
[31]   Él fue quien tuvo valor para enfrentarse con el general Cuesta, presidente de la junta (*Diario*, 18 feb. 1800).

al que se tuvo —con razón o sin ella— por responsable de los numerosos disgustos sufridos por los amigos del teatro "rebelde". *El barón* sufrió además una grita en su primera representación y el mismo día 28 de enero de 1803 don Leandro mandó una carta a Diego Godoy, jefe de Andrés de Mendoza, quien había dedicado su plagio al hermano del valido: el lance de *La lugareña orgullosa* y la cábala de *El barón* [32] no eran sino dos manifestaciones de una misma inquina. El 19 de mayo del año siguiente se estrenó en el teatro de la Cruz *La mojigata,* manteniéndose dicha comedia once días seguidos.

1805; va intimando cada día más nuestro autor con la actriz María García, la Clori de los sonetos IX y X, [33] representa una vez más *El barón* (11-14 de julio) y prepara el estreno de *El sí de las niñas* que se realiza el 24 de enero de 1806. Como ya dijimos, la quinta y última comedia de Moratín fue el mayor éxito teatral de la época: duró 26 días seguidos (¡más que las concurridísimas comedias de magia!) y sólo cesaron sus representaciones por sobrevenir la Cuaresma, sus ingresos fueron siempre altos y excepcionalmente regulares desde el principio hasta el fin, tanto en las localidades populares como en las más caras. De ahí se infiere, pese a los detractores del "siglo afrancesado", que *El sí de las niñas* no sólo era españolísima, sino que expresaba mejor que cualquier otra una preocupación esencial de los españoles (por lo menos, de los madrileños) de la época. De no ser así, no hubiera tenido tantos partidarios ni, sobre todo, tantos enemigos, pues sabido es que sufrió varias denuncias a la Inquisición y que suscitó una abundante polémica. [34]

El sí de las niñas pone fin a la producción original del autor; durante la guerra de Independencia, que

[32]   No la pudo capitanear García de la Huerta, como escribe, entre otras muchas inexactitudes, Ruiz Morcuende en su edición de *Clásicos castellanos,* pues el autor de Raquel había muerto... 16 años antes.

[33]   *B. A. E.,* II, p. 597-598.

[34]   Véase "Advertencia" a la obra, *B. A. E.,* II, p. 418.

estalla dos años más tarde, Moratín adapta a la escena española *La escuela de los maridos* y *El médico a palos*, de Molière, a quien consideraba su maestro.

Con el año 1808 empieza una nueva vida para Moratín, partidario imprudente, como muchos contemporáneos suyos, no del mismo José Bonaparte ni menos de su hermano, sino de la forma de gobierno que encarnaban, superior a la del antiguo régimen y al mismo tiempo mantenedora del orden frente a las clases laboriosas. Pero se puede afirmar que a los cuarenta y ocho años, don Leandro ya no tenía la intención de seguir escribiendo para el teatro; en una carta a su amigo Napoli Signorelli de 24 de julio de 1806, hablaba de su última comedia en los siguientes términos: [35]

"... de todas maneras la llamo última porque no quisiera gastar el tiempo en componer más obras de esta especie. Trato ahora de hacer una edición magnífica de las cinco Comedias que he publicado hasta ahora, y las acompañaré con un prólogo en que daré una idea de las vicisitudes de la Poesía escénica en España durante el siglo XVIII..."

Es decir, con la edición de su teatro completo intentaba dar remate a su carrera de dramaturgo; algunas de las razones que le movían a ello han sido recordadas por su biógrafo Silvela, [36] el amigo a quien conoció durante la "francesada" y cuya vida compartió durante los últimos años de su vida de exilado: los violentos ataques de sus adversarios y últimamente la denuncia al Santo Oficio en 1806 le aburrieron de tal suerte que determinó por fin abandonar varias comedias que tenía en el telar y cuyos apuntes prefirió destruir. ¿Trátase verdaderamente de un recuerdo? Mejor dicho, lo de las "cuatro o cinco composiciones" abandonadas, ¿fue más que un encarecimiento por el que Moratín quisiese afear ante Silvela la conducta de sus

[35] Publicada por C. G. Mininni, *Pietro Napoli-Signorelli*, Città di Castello, 1914, p. 438, n. 2.
[36] *O. P.*, I, p. 7.

enemigos? La cuestión quedará pendiente largo tiempo. Sea lo que fuere, don Leandro acabó su carrera teatral con una obra maestra de una perfección tal que, según Larra, desesperaba a los dramaturgos noveles.

Llegó, pues, el año de 1808, y Moratín, como dijimos, formó parte de los que vieron en el hermano del emperador el regenerador de España, como lo expresa en el prólogo de una proyectada edición del *Fray Gerundio* de Isla redactado en aquella época. [37] Época de inestabilidad, en la que don Leandro tuvo que ponerse a salvo varias veces, retirándose por ejemplo a Vitoria con el ejército francés después del triunfo de Bailén, pues seguía desempeñando el cargo de secretario de la Interpretación de Lenguas. En 1811 se le nombró bibliotecario mayor de la Biblioteca Real. Al año siguiente se representó en el teatro del Príncipe su traducción-adaptación de Molière, *La escuela de los maridos*, ya preparada, escribe Silvela, desde 1808. [38]

10 de agosto de 1812. Después de la victoria de Los Arapiles, Moratín huye de la capital con el ejército francés, acogiéndole en su coche la actriz María García y el ex-corregidor de Madrid Manuel García de la Prada. Vivió en Valencia algún tiempo, como Marchena, Meléndez Valdés y otros muchos, siendo encargado por el gobernador, general Mazzuchelli, de la publicación del *Diario de Valencia* con su amigo Estala. [39] No se sabe con seguridad si redactó personalmente artículos en aquel periódico, aunque lo afirma Aribau en la biografía del autor, [40] y a pesar de suponerlo Rafael Ferreres en su estudio *Moratín en Valencia*. [41] Lo que sí se publicó en el *Diario* de dicha ciudad fueron cinco poemas de Inarco Celenio, cuyo texto ofrece a veces interesantes variantes con relación a las ediciones más conocidas.

[37] *O. P.*, III, p. 200 sig.
[38] *O. P.*, I, p. 41.
[39] Melón, B. N. M., ms. 18666/24.
[40] *B. A. E.*, II, p. XXXIV.
[41] Val., 1962, p. 45 sig.

3 de julio de 1813. Evacuación de Valencia. Moratín se refugia en Peñíscola donde permanece los once meses que dura el sitio de la población. Trató luego de volver a Valencia, seguro de no estar comprendido en los recientes decretos relativos a los colaboradores del poder intruso, pero el general Elío, gobernador de la plaza y ardiente absolutista, le insultó públicamente y le embarcó en una goleta con destino a Francia por Barcelona. En esta ciudad, el general barón de Eroles le permitió permanecer libre hasta que el gobierno central tomase una providencia. El 13 de octubre de 1814, después de un juicio de purificación, se resolvió que Moratín no estaba comprendido en el artículo primero del decreto de 30 de mayo, y al año siguiente se le alzó el secuestro de sus bienes.

Durante su estancia en Barcelona, a la que se aficionó, representó *El médico a palos*, traducción de Molière (1814). Entre tanto, su prima Mariquita, hija del tío Nicolás Miguel, se había determinado a casarse con José Antonio Conde a pesar de los cincuenta años de éste, y la boda tuvo lugar el 15 de agosto de 1816.

Pero Moratín tenía formado el proyecto de irse a vivir a Italia; viendo que sus gestiones para conseguir el real permiso sin perder el derecho de seguir cobrando sus rentas eclesiásticas no daban resultado, y, mejor dicho, que la autoridad competente de la Corte daba muestras de una curiosidad algo sospechosa, don Leandro resolvió, como dice, esperar la decisión de Su Majestad más allá del Pirineo, [42] y haciéndose recetar los baños de Aix por dos médicos de Barcelona, obtuvo del general Castaños un pasaporte, y con él pasó la frontera.

Montpellier. París. En la capital francesa vive dos años con su amigo Melón, y, poco antes de volver éste a Madrid, se pone en camino para Bolonia, donde se hallaba ya su antiguo compañero Robles, a quien había conocido durante su anterior viaje por Italia.

[42] Carta de 10 de sept. de 1817.

Restablecida la Constitución en 1820, ya no tenía motivos para temer a la Inquisición. Se fue entonces de Bolonia, "huyendo de una pasión" [43] (no de una "prisión", como se lee en las *Obras póstumas*) de la que no queda más huella, al parecer, que la que se puede rastrear a duras penas en la oda *A los colegiales de San Clemente de Bolonia,* [44] indudablemente escrita durante la estancia del autor en aquella época. Volvió a Barcelona, donde recibió grata acogida, y allí vivió en compañía de su amigo y luego apoderado Manuel García de la Prada.

Su situación económica ha mejorado algo. Publica, en homenaje a su padre, las *Obras póstumas* de don Nicolás (1821), no sin modificar el texto de varios poemas. Pero una grave epidemia le obliga a abandonar la ciudad con su amigo, y viene a parar en Bayona; ya no había de volver a su tierra. Pasa a Burdeos, después de un intercambio epistolar con el ex-alcalde de Casa y Corte Manuel Silvela, refugiado en la capital de Aquitania en donde dirige un establecimiento de enseñanza para españoles. No deja de escribir a sus mejores amigos, Melón, Paquita Muñoz, García de la Prada y demás conocidos, constituyéndose un valioso epistolario que tratará —en vano— de publicar Silvela a la muerte de don Leandro. Pronto se traslada Moratín a la casa de don Manuel, con quien vivirá los pocos años de vida que le quedan.

Creada la Academia Nacional en Madrid, nuestro autor fue nombrado individuo de la clase de Literatura y Artes; pero no por ello se despidió de su huésped, prefiriendo trabajar en la edición de sus *Obras sueltas* o preparar sus *Orígenes del teatro español,* y sentarse todos los días en su luneta, en su butaca de patio, diríamos hoy. Así pues, aunque establecido en el extranjero, vive en un ambiente español, entre españoles, se interesa como ellos por los acontecimientos de Madrid

[43] Melón, B. N. M., ms. 18666/24.
[44] *B. A. E.,* II, p. 589.

—la policía francesa, informada por sus espías, entre ellos uno español, cree que sirve de intermediario para la correspondencia de ciertos "facciosos de España" con los exilados—, [45] redacta un valioso estudio sobre el teatro antiguo español, manifestando unos conocimientos excepcionales para la época.

A fines de 1825, sufre un ataque de apoplejía, pero consigue mejorar rápidamente, aunque perdiendo mucha de su antigua alegría, según observa Silvela. El mismo año se hizo la edición parisiense de sus *Obras dramáticas y líricas* por Auguste Bobée, cuyo texto transcribimos en la presente.

En agosto de 1827 redactó su testamento, haciendo heredera de sus bienes a la nieta de Silvela, el mismo día en que éste trasladaba su establecimiento de educación a París. Moratín fue a reunirse con su familia adoptiva a fines de septiembre. En mayo del año siguiente sintió las primeras manifestaciones de una enfermedad —cáncer de estómago— que puso fin a su vida en la noche del 20 al 21 de junio de 1828. [46]

RENÉ ANDIOC

---

[45] R. A., "L. F. de Moratín, hôte de la France", *Rev. de Litt. Comp.*, 1963, n.º 2, p. 268 sig.
[46] No de julio, como escribe equivocadamente Silvela.

NOTICIA BIBLIOGRÁFICA

Esta bibliografía está rigurosamente seleccionada para incluir sólo las ediciones más signicativas de *La comedia nueva* y *El sí de las niñas* y las obras más útiles para el estudio de estas comedias y el teatro de Moratín.

1. Ediciones sueltas

La comedia nueva. Comedia en dos actos, en prosa, representada en el Coliseo del Príncipe en 7 de febrero de 1792 (Madrid: Benito Cano, 1792), 72 págs.

La comedia nueva. Comedia en dos actos en prosa. Su autor Inarco Celenio, Poeta Àrcade (Parma: Juan Bautista Bodoni, 1796), [12] + 128 págs.

La comedia nueva. Comedia en dos actos estrenada en el Teatro del Príncipe, Madrid, 7 de febrero, 1792, ed. John Dowling (Madrid: Editorial Castalia, 1970), 346 págs.

El sí de las niñas. Comedia en tres actos en prosa. Su autor Inarco Celenio, P. A. (Madrid: Villalpando, 1805), [6] + 146 págs.

El sí de las niñas. Comedia en tres actos en prosa. Su autor Inarco Celenio, P. A. (Madrid: Villalpando, 1806), 144 págs.

Leandro Fernández de Moratín. *Diario (Mayo 1780-Marzo 1808).* Edición anotada por René y Mireille Andioc (Madrid: Editorial Castalia, 1968), 386 págs.

2. COLECCIONES DE OBRAS DE MORATÍN

*Obras dramáticas y líricas de D. Leandro Fernández de Mo-
ratín, entre los Árcades de Roma, Inarco Celenio. Única
edición reconocida por el autor* (París: Augusto Bobée,
1825), 3 tomos.

*Obras de D. Leandro Fernández de Moratín, dadas a luz
por la Real Academia de la Historia* (Madrid: Aguado,
1830-31), 4 tomos en 6.

*Obras de Don Nicolás y Don Leandro Fernández de Mora-
tín*, B. A. E., 2 (Madrid: Rivadeneyra, 1846), xxxviii +
656 págs.

*Obras póstumas de D. Leandro Fernández de Moratín pu-
blicadas de orden y a expensas del gobierno de S. M.*
(Madrid: Rivadeneyra, 1867-68), 3 tomos.

Teatro, ed. F. Ruiz Morcuende. Clásicos Castellanos, 58
(Madrid: Ediciones de "La Lectura", 1924), lvii + 303
págs.

BIBLIOGRAFÍA SELECTA SOBRE EL AUTOR

Libros de consulta

Andioc, René. *Sur la querelle du théâtre au temps de Leandro Fernández de Moratín* (Tarbes: Imprimerie Saint-Joseph, 1970).

———. *Teatro y sociedad en el Madrid del siglo XVIII* (Madrid: Fundación Juan March y Editorial Castalia, 1976).

[Cladera, Cristóbal]. *Examen de la tragedia intitulada Hamlet, escrita en inglés por Guillermo Shakespeare y traducida al castellano por Inarco Celenio, Poeta Árcade.* Escríbalo D. C. C., T. D. D. U. D. F. D. B. (Madrid: Viuda de Ibarra, 1800). Las iniciales significan: Don Cristóbal Cladera Traductor Del Diccionario Universal De Física De Brison.

Coe, Ada M. *Catálogo bibliográfico y crítico de las comedias anunciadas en los periódicos de Madrid desde 1661 hasta 1819,* The Johns Hopkins Studies in Romance Literatures and Languages, 9 (Baltimore: The Johns Hopkins Press, 1935).

Coloquio internacional sobre Leandro Fernández de Moratín (1978), Bolonia, Piovan, 1980.

Cook, John A. *Neo-classic Drama in Spain: Theory ana Practice* (Dallas: Southern Methodist University Press, 1959).

Cotarelo y Mori, Emilio. *Don Ramón de la Cruz y sus obras: ensayo biográfico* (Madrid: José Perales y Martínez, 1899).

———. *Iriarte y su época* (Madrid: Sucesores de Rivadeneyra, 1897).

Cotarelo y Mori, Emilio. *Isidoro Máiquez y el teatro de su tiempo* (Madrid: José Perales y Martínez, 1902).

————. *María del Rosario Fernández, la Tirana, primera dama de los teatros de la corte* (Madrid: Sucesores de Rivadeneyra, 1897).

Dowling, John. *Leandro Fernández de Moratín* (New York: Twayne Publishers, Inc., 1971).

Fernández de Moratín, Leandro. *Epistolario,* ed. de René Andioc, M., Castalia, 1973.

Lázaro Carreter, Fernando. *Moratín en su teatro,* Cuadernos de la Cátedra Feijóo, No. 9 (Oviedo: Universidad de Oviedo, 1961).

Martínez Ruiz, José. *Moratín: Esbozo por Cándido* (Madrid: Fernando Fe, 1893).

Ruiz Morcuende, Federico. *Vocabulario de D. Leandro Fernández de Moratín* (Madrid: Real Academia Española. 1945), 2 tomos.

Subirá Puig, José. *Un vate filarmónico: Don Luciano Comella* (Madrid: Real Academia de Bellas Artes de San Fernando, 1935).

Vega, Ventura de la. *La crítica de El sí de las niñas,* en *Obras escogidas* (Barcelona: Montaner y Simón, 1894), I, 207-234.

ARTÍCULOS

Aguilar Piñal, Francisco. "Bibliografía de Leandro Fernández de Moratín", separata de *Cuadernos Bibliográficos,* XL (1980), 58 págs.

Andioc, René. "À propos d'une reprise de *La comedia nueva* de Leandro Fernández de Moratín", *Bulletin Hispanique,* LXIII (1961), 54-61.

————. "Broutilles Moratiniennes", *Les Langues Néo-Latines,* No. 172 (mars-avril, 1965), 26-33.

————. "Teatro y público en la época de *El sí de las niñas*", en *Creación y público en la literatura española,* ed. J.-F. Botrel y S. Salaün, pról. Francisco Ynduráin (Madrid: Editorial Castalia, 1974), págs. 93-110.

Cabañas, Pablo. "Moratín y la reforma del teatro de su tiempo", *Revista de Bibliografía Nacional,* V (1944), 63-102.

Cambronero, Carlos. "Comella", *Revista Contemporánea,* CII (1896), 567-82; CIII (1896), 41-58, 187-99, 308-319, 380-90, 479-91, 637-44; CIV (1896), 49-60, 206-211, 288-96, 398-405, 497-509.

Casalduero, Joaquín. "Forma y sentido de *El sí de las niñas*", *Nueva Revista de Filología Hispánica*, XI (1957), 36-56.

Díaz-Plaja, Guillermo. "Perfil del teatro romántico español", *Estudios Escénicos*, No. 8 (1963), 29-56.

Dowling, John. "The Inquisition Appraises *El sí de las niñas*, 1815-1819", *Hispania*, XLIV (1961), 237-44.

————. "Moratín's *La comedia nueva* and the Reform of the Spanish Theater", *Hispania*, LIII (1970), 397-402.

————. "Moratín's Creation of the Comic Role for the Older Actress", *Theatre Survey*, XXIV (1983), 55-63.

Entrambasaguas, Joaquín de. "El lopismo de Moratín", *Revista de Filología Española*, XXV (1941), 1-45.

Insula, XV, No. 161 (Abril, 1960). Artículos de Azorín, José Luis Cano, John Dowling, Nigel Glendinning, Edith Helman, Fernando Lázaro Carreter, Vicente Lloréns, Julián Marías, Antonio Odriozola.

Kany, C. E. "Theatrical Jurisdiction of the *Juez protector* in XVIIIth-Century Madrid", *Revue Hispanique*, LXXXI, 2.ª Parte (1933), 382-93.

Mendoza, Juan de Dios. "Una leyenda en torno a Moratín", *Razón y Fe*, CLXII (1960), 183-92. 447-56.

Menton, Seymour. "La contradanza de Moratín", *Romance Notes*, XXIII (1983), 238-44.

Moratín y la sociedad española de su tiempo, *Revista de la Universidad de Madrid*, IX (1960), 567-808. Artículos de Antonio Domínguez Ortiz, Juan Antonio Gaya Nuño. Luis S. Granjel. Edith F. Helman, Angela Mariutti de Sánchez Rivero, Paul Merimée, Antonio Oliver y Luis Sánchez Agesta.

Osuna, Rafael. "Temática e imitación en *La comedia nueva* de Moratín", *Cuadernos Hispanoamericanos*, CVI, No. 317 (Nov., 1976), 286-302.

Pérez de Guzmán, Juan. "La primera representación de *El sí de las niñas*", *La España Moderna*, XIV, No. 168 (diciembre 1902), 103-137.

————. "Los émulos de Moratín", *La España Moderna*, XVII, No. 195 (marzo, 1905), 41-57.

Sánchez, Roberto. "*El sí de las niñas* o la modernidad disimulada", *Insula*, No. 432 (1982), 3-4.

Sebold, Russell P. "Autobiografía y realismo en *El sí de las niñas* de Moratín", en *Coloquio Internacional sobre Leandro Fernández de Moratín, Bolonia, 27-29 de octu-*

bre 1978 (Abano Terme: Piovan Editore, 1980), páginas 213-27.

Vézinet, F. "Moratín et Molière", en *Molière, Florian et la littérature espagnole* (Paris: Librairie Hachette et Cie., 1909), p. 11-178.

Villegas Morales, Juan. *"El sí de las niñas* de Leandro Fernández de Moratín", en *Ensayos de interpretación de textos españoles* (Santiago de Chile: Editorial Universitaria, 1963), p. 99-142.

Vitse, Marc. "La thèse de *El sí de las niñas", Les Langues Néo-Latines,* 1976, n.º 216, p. 32-51.

TESIS DOCTORALES

Regalado de Kerson, Pilar. "Don Leandro Fernández de Moratín y la polémica del teatro de su tiempo" (Universidad de Yale, 1966).

Rooney, Hermana St. Dominic. "Realism in the Original Comedies of Leandro Fernández de Moratín" (Universidad de Minnesota, 1963).

LA COMEDIA NUEVA

Edición,
estudio y notas
de
JOHN DOWLING

ESTUDIO SOBRE

LA COMEDIA NUEVA

L A más asombrosa sátira literaria que en ninguna lengua conozco", decía Marcelino Menéndez y Pelayo de *La comedia nueva* de Moratín. En la segunda mitad del siglo XVIII el más apremiante problema estético era la reforma del teatro español, y la sátira dramatizada de Moratín representa un punto culminante en el ataque armado contra el teatro chabacano que dominaba la escena española. No se trataba de la comedia del Siglo de Oro, la de Lope y de Calderón, que tenía sus admiradores, incluso Moratín, entre los neoclásicos. Tampoco era cuestión de la comedia tardía de Antonio de Zamora o José de Cañizares; éstos, como decía el mismo Moratín, ya no podían enmendarse. La generación de su padre, don Nicolás, había vencido ya los autos sacramentales y las comedias de santos, desterrándolos de la escena. La flecha de Moratín va dirigida contra la llamada comedia heroica, y la medida del triunfo de Moratín y los suyos es que el teatro de Luciano Francisco Comella y Gaspar Zabala y Zamora —entre otros muchos— ha caído en tan completo olvido que muchos, no conociendo lo que era el teatro contemporáneo de Moratín, suponen que atacaba la comedia del siglo anterior. Moratín solía criticar el teatro de los grandes dramaturgos de la Edad de Oro, pero la comedia que satirizaba era la llamada heroica —que en realidad era chabacana y patética— de Comella y Zamora. Al mismo tiempo criticaba la representación material que imperaba en los teatros de Madrid. En este sentido *La comedia nueva* es una protesta tanto contra los dramaturgos de su día como contra la situación total que existía en los teatros de la corte.

LOS TEATROS DE MADRID EN 1792

En 1792 Madrid poseía tres teatros públicos. El más nuevo era el de los Caños del Peral, construido en 1708 y reconstruido en 1758. Allí se ponían en escena óperas italianas. Los teatros de la Cruz y del Príncipe, donde se representaban comedias, tenían ya casi cincuenta años, y estaban en tales condiciones que el público se solía poner su ropa más vieja para asistir a ellos. Se formaban las compañías durante Cuaresma, época en que los actores ensayaban las comedias nuevas, de modo que la temporada teatral comenzaba para Pascuas terminando al año siguiente con Carnestolendas.

El Corregidor de Madrid era también Juez Protector de los teatros. Su autoridad se extendía a todo lo relacionado con los actores, las comedias y los escenarios. Presidía la formación de las compañías; tenía responsabilidad por el equipo del escenario y la conservación de los teatros, miraba por los sueldos y aun por la conducta de los actores, ya que tenía a su cargo el ver que llevaran una vida decente y que no escandalizaran al público con su vida privada.

También se le encargaba examinar, censurar y aprobar o rechazar toda obra teatral. Los actores debían presentarle una obra antes de dar paso alguno, pero la realidad era bien distinta de lo que ordenaban las reglas. Normalmente, el dramaturgo leía su comedia a la compañía de actores. Si gustaba, los actores solían distribuir los papeles, estudiarlos y empezar los ensayos.

Justo en el momento de estrenar la obra enviaban al Juez Protector un ejemplar solicitando su aprobación. [1]

El Juez Protector ejercía su autoridad sobre el escenario y los actores; un alcalde de la Sala de Alcaldes de Casa y Corte gobernaba el patio y los palcos del teatro. Aunque estaba dividida la autoridad, los dos cooperaban para el decoro público. Por ejemplo, las actrices solían ir y venir entre su casa y el teatro en sillas de manos. El paso lento de los gallegos que las llevaban daba a sus admiradores la ocasión de chotear con damas de genio vivo y lengua mordaz. Para evitar escándalos, el Ayuntamiento proveyó coches que llevaban velozmente a las actrices de su domicilio al teatro. [2]

La Sala de Alcaldes tenía que moderar en particular las pasiones de los partidarios de las tres compañías, ya que estaban empeñados en crear éxitos para sus favoritos y en hacer fracasar los esfuerzos de los rivales. Estos grupos de alabarderos habían originado dos generaciones antes de la época de Moratín. Uno, conocido por el nombre de los Chorizos, apoyaba en un principio a los actores del teatro del Príncipe. Según la tradición, en el año 1742, al guardarropa se le olvidó una tarde poner en escena unos chorizos que habría de comer el gracioso Francisco Rubert. Al público le hicieron tanta gracia las exclamaciones que profirió Rubert contra el encargado que desde aquel día a los actores del Príncipe y a sus apasionados se les conoció por el nombre de Chorizos. Los partidarios del teatro de la Cruz se llamaban Polacos por el nombre, o más bien el apodo, del Padre Polaco —trinitario descalzo— ferviente y clamoroso espectador de la compañía que allí representaba. Un tercer grupo, los Panduros, favorecía

[1] C. E. Kany, "Theatrical Jurisdiction of the *Juez protector* in XVIIIth-Century Madrid", *Revue Hispanique*, LXXXI, 2.ª Parte (1933), 382-84.

[2] Leandro Fernández de Moratín, *Obras póstumas* (Madrid: Rivadeneyra, 1867-68), I, 95-96.

a la compañía del teatro de los Caños del Peral. Al cambiar el Conde de Aranda las compañías de un teatro a otro, los aficionados dejaron de relacionarse con los teatros para hacerlo directamente con las compañías. [3]

En 1768 el Conde de Aranda fundó el teatro de los Sitios Reales, el teatro de la Corte que representaba en los distintos Sitios Reales y que aspiraba a introducir un repertorio más refinado del que ofrecían los teatros públicos. Adjunta al teatro de los Sitios se estableció una escuela de declamación y arte dramáticos.

Los cuatro lustros siguientes no vieron los adelantos que esperaban los reformadores, de modo que *La comedia nueva* es al mismo tiempo una crítica y una esperanza. Un joven que aspira a ser dramaturgo, su familia y sus amigos se encarnan en la escena, hacen disparates, dicen despropósitos y, en la mejor tradición cómica, se llevan una lección.

EL TEATRO DENTRO DEL TEATRO

Moratín ilustró lo que criticaba en el drama de su época con *El gran cerco de Viena*, el dramón que escribió su joven protagonista don Eleuterio Crispín de Andorra a instancias de su amigo don Hermógenes y con el estímulo de su esposa. No se representa este drama, pero los personajes de *La comedia nueva* recitan o describen tantas escenas que nosotros —lectores o público— acabamos por conocerlo bien. En efecto, es monstruoso.

Empieza con una soberbia entrada. "Salen el emperador Leopoldo, el rey de Polonia y Federico, senescal, vestidos de gala, con acompañamiento de damas y magnates, y una brigada de húsares a caballo". Sin

[3] *Ibid.*, I, 125-30. Ricardo Sepúlveda, *El Corral de la Pacheca* (Madrid: Fernando Fe, 1888), pp. 267-68.

sutilezas el emperador se lanza a la exposición del caso.

> Ya sabéis, vasallos míos,
> Que habrá dos meses y medio
> Que el turco puso a Viena
> Con sus tropas el asedio,
> Y que para resistirle
> Unimos nuestros denuedos,
> Dando nuestros nobles bríos
> En repetidos encuentros
> Las pruebas más relevantes
> De nuestros invictos pechos.
> Bien conozco que la falta
> Del necesario alimento
> Ha sido tal que rendidos
> De la hambre a los esfuerzos
> Hemos comido ratones,
> Sapos y sucios insectos.

El espectador de mediana cultura reconocía en seguida que el dramaturgo creado por Moratín había escrito una obra en que el aparato y el patetismo substituían a la grandeza y a la emoción del teatro de la Edad de Oro.

Don Eleuterio nos da más aún. Empieza el segundo acto con una escena dolorosa. Una dama cae muerta de hambre después de proferir maldiciones contra un visir que la ha privado de comer por seis días porque no quería ser su concubina. Al final del acto, este turco bruto —moreno, bizco, bigotudo, feote de cara, lascivo— aparece formando trío con el emperador y el senescal. Don Eleuterio explica que cada uno está preocupado por sus propios pensamientos: "El emperador está lleno de miedo por un papel que se ha encontrado en el suelo sin firma ni sobrescrito, en que se trata de matarle. El visir está rabiando por gozar de la hermosura de Margarita, hija del Conde de Strambangaum, que es el traidor... El senescal, que es hombre de bien si lo hay, no las tiene todas consigo, porque sabe que el conde anda tras de quitarle el empleo, y continuamente lleva chismes al emperador contra él; de modo que como cada uno de estos tres personajes está ocupado en su asunto, habla de ello, y no hay cosa más natural".

Entonan los tres:

EMPERADOR	Y en tanto que mis recelos...
VISIR	Y mientras mis esperanzas...
SENESCAL	Y hasta que mis enemigos...
EMPERADOR	Averiguo,...
VISIR	Logre,...
SENESCAL	Caigan,...
EMPERADOR	Rencores, dadme favor,...
VISIR	No me dejes, tolerancia,...
SENESCAL	Denuedo, asiste a mi brazo,...
TODOS	Para que admire la patria
	El más generoso ardid
	Y la más tremenda hazaña.

Entre la primera escena angustiosa y el enredo cada vez más brumoso de esta última escena, el dramaturgo esperaba regalar al público toda una serie de episodios melodramáticos: un trueque de puñales, el sueño del emperador, una oración que hace el visir a sus ídolos, una tempestad, un consejo de guerra, un baile y un entierro; y aún había más lances. Pero el público no llegó a verlos. Al salir una madre con una criatura que lloraba por el hambre que tenía, "Madre, deme usted pan", y cuando la madre invocaba a Demogorgon y Cancerbero, el patio no aguantó más, alborotándose de tal modo que se corrió el telón; y de este modo se dio fin a la única representación de *El gran cerco de Viena*.

Acción y personajes

La comedia nueva —la de Moratín— tuvo un verdadero éxito en la escena, aunque su acción es tan sencilla como es complicada la de *El gran cerco de Viena*. El autor dramático, su familia y sus amigos almuerzan en un café (se supone que es la famosa Fonda de San Sebastián) cerca del teatro del Príncipe antes del estreno de su primera comedia. Son las tres y media, todavía media hora antes de la hora señalada para el comienzo del espectáculo —por el reloj del pedante don Hermógenes: "Aquí está mi reloj, que es puntualísimo. Tres y media cabales". Bastante más tarde, después de que estamos enterados de todas las ilusiones que se han formado los personajes por el éxito de la comedia, se vuelve a preguntar qué hora es. "Yo lo diré", dice don Hermógenes; "las tres y media en punto". Todos se precipitan al teatro habiendo perdido el primer acto y la tonadilla, llegando apenas a tiempo para presenciar el alboroto. Los personajes vuelven al café donde la esposa del dramaturgo se repone de su desmayo, y todos se resignan a la pérdida de sus ilusiones.

Difícilmente podría ser más sencilla la acción de una comedia. Depende casi completamente de la certeza con que don Hermógenes informa a sus amigos de la hora —por un reloj que se ha parado. El enredo arranca del modo más natural de la personalidad de los caracteres.

El pedante don Hermógenes llegó a ser proverbial porque, después de expresar una doctrina en latín la decía en griego para mayor claridad. Aunque no es el personaje principal, podemos considerarle protagonista. Animó a don Eleuterio a que escribiese para el teatro. Elogió el ingenio de su amigo, exagerando el valor de *El gran cerco de Viena,* e instándole a completar otras comedias que había comenzado. A don Eleuterio su amigo le parecía capacitado para aconsejarle bien: don Hermógenes escribía para los periódicos, traducía del francés y daba conferencias. Era célebre por el rigor y la escrupulosidad con que criticaba las obras de otros escritores. Posiblemente el interés cegara a don

Hermógenes para los defectos de la comedia, ya que, de tener éxito, esperaba que don Eleuterio le pagase las deudas y le diese la mano de su hermana. Al fracasar la comedia, don Hermógenes insistía en que sabía desde un principio que era mala; y abandonó a su protegido y también a la presunta novia.

Don Eleuterio Crispín de Andorra es un joven sin empleo fijo y cargado de familia: esposa, cuatro hijos —el mayor no pasa de cinco años— y una hermana. Estudió con los escolapios; tiene buena ortografía y sabe hacer cuentas. Trabajó de escribiente en la lotería y después sirvió de paje en la casa de un caballero indiano. Allí conoció a su mujer Agustina, que era doncella de la casa. Al morir su amo se metió a escribir comedias y, persuadido por don Hermógenes de que eran buenas, vivía perseguido de sus acreedores con la esperanza de que un éxito en el teatro le trajera la fortuna.

Para asegurar el éxito de su comedia no sólo se llevaba bien con los actores del teatro que había de presentarla sino que también cultivaba la amistad de los actores y los apasionados del otro teatro. Iba todos los días a casa de la dama del otro corral; le hacía alguna compra, echaba alpiste al canario y hasta daba una vuelta por la cocina para ver si espumaba el puchero. Por todo este esfuerzo iba a cobrar quince doblones por su comedia, cantidad que se pagaba en el verano. En el invierno hubiera cobrado veinticinco, ya que, como decía un personaje, en empezando a helar valían más las comedias —como los besugos.

Su esposa Agustina es una marisabidilla que prefiere ayudar a su marido en la composición de sus comedias a cuidar de su familia y su casa. "Para las mujeres instruidas", confiesa a don Hermógenes, "es un tormento la fecundidad". El niño que llora, el otro que quiere mamar, el otro que está sucio, el otro que cae de una silla— son distracciones que le quitan tiempo a su labor preferida: disputar con su marido si una escena es larga o corta, contar las sílabas con los dedos, discutir si el lance a obscuras ha de ser antes de la batalla o después del veneno, manotear la *Gaceta* o el *Mercurio* para buscar nombres extravagantes que terminan en *-of* o *-graf*. Doña Agustina —antigua doncella— es capaz de improvisar versos, pero no puede barrer la casa, coser, lavar ropa ni dar de comer a su familia.

Mariquita, hermana de don Eleuterio, hace el papel de Marta ante la María de Agustina —aunque le habían persuadido a que renunciase a un proyectado matrimonio con un boticario para dar su mano a don Hermógenes. Sabe guisar, planchar, coser y echar un remiendo; sabe escribir y ajustar una cuenta; sabe cuidar de una casa y de una familia. Tiene dieciséis años y está sin casar, y esto le preocupa. Ya que ha renunciado al boticario, se dedica a hacerse agradable a los ojos de don Hermógenes, coqueteando y tirándole miguitas de pan al peluquín. Cuando él la abandona se siente desolada, pero acepta el consejo de don Pedro en el sentido de que si disimula un poco las ganas que tiene de casarse, presto hallará un hombre de bien que la quiera.

Don Serapio es un apasionado del teatro, un bullebulle y un chismoso. A las cómicas les hace gestos y les tira dulces a la silla cuando pasan. Se desayuna con los peluqueros y come con el apuntador; entre horas se junta con unos cuantos amigos para hablar de comedias y cambiar chismes sobre la vida personal y profesional de los cómicos. Anima a don Eleuterio a que escriba para el teatro; y fue él quien había compuesto el casamiento de doña Mariquita con don Hermógenes.

Pipí el camarero, un personaje protático, sirve para acentuar el tema, ya que se contagia con la locura teatral de tal modo que está a punto de meterse a escribir verso dramático.

Los antagonistas de este mundo delusorio son don Antonio y don Pedro de Aguilar. Don Antonio es

bondadoso y hace el papel de Philinte ante el misán-
tropo de don Pedro. Es un hombre culto, de buen
gusto, que reconoce y elogia los méritos de una buena
obra de arte. Prefiere celebrar un despropósito en vez
de herir cruelmente al autor desengañándole. Sus ver-
daderas opiniones se descubren sólo a través de una
ironía velada.

Don Pedro es rico, generoso y honrado, pero por
naturaleza se pone serio y aun adusto cuando juzga
al prójimo. No sabe disimular. Si la verdad hiere, o se
calla o se marcha, pero tan exasperado está por los
defectos de *El gran cerco de Viena* que desengaña a
don Eleuterio y cuando el joven busca disculpas por el
fracaso de su comedia le hace reconocer su propia me-
diocridad. Pero cuando sabe que don Eleuterio tiene
responsabilidad por una familia numerosa, don Pedro
le ofrece un empleo como ayudante de su mayordomo.

Don Pedro no lleva solo el gravamen de enseñar a
don Eleuterio. El público furioso en el teatro da también su merecido al mezquino dramaturgo. El estruendo
empezó ya en el primer acto; en el segundo, cuando
salió la madre hambrienta con el niño que le pedía pan,
el público perdió la paciencia. El patio se puso tremendo: tosía, estornudaba, bostezaba, y había oleadas
de ruidos confusos por todas partes. Y entonces sonaron
bramidos y comenzaron las descargas de palmadas huecas y los golpes en bancos y barandillas de modo que
parecía que la casa se venía al suelo. Se corrió el telón,
se abrieron las puertas y la gente salió a la calle renegando.

Doña Agustina llega desmayada al café con su marido y la hermana de éste. Después que don Hermógenes
les abandona y don Pedro les enseña la moral de su
experiencia, don Eleuterio resuelve quemar sus manuscritos antes de empezar a trabajar en su nuevo empleo,
y su esposa y su hermana se ofrecen para ayudarle.

LOS SUPUESTOS MODELOS DE LOS PERSONAJES

La malicia, escribía Moratín, insistía en señalar los modelos de la vida real que él habría usado al escribir *La comedia nueva*. En el prólogo a la edición príncipe (1792), negaba que hubiera representado a nadie en particular: "Esta comedia ofrece una pintura fiel del estado actual de nuestro teatro; pero ni en los personajes ni en las alusiones se hallará nadie retratado con aquella identidad que es necesaria en cualquiera copia para que por ella pueda indicarse el original". Sostenía que imitaba la naturaleza formando de las características de muchas personas un solo individuo.

A pesar de esta negativa, se han empeñado tanto los coetáneos como la posteridad en señalar los modelos. Don Hermógenes, se decía, era el mismo don Cristóbal Cladera, quien, bajo el seudónimo de don Fulgencio de Soto, había atacado *El viejo y la niña* con una pedantesca retahíla de latinismos. Cladera, nacido en Mallorca el mismo año que Moratín, era sacerdote que se había doctorado en ambos derechos por Valencia. Se había asentado en la corte donde redactaba un periódico en que recopilaba selecciones de varias revistas europeas —el *Espíritu de los mejores diarios literarios que se publican en Europa*— hasta que en 1791 el gobierno, alarmado por los sucesos de Francia, suspendió toda publicación excepto el *Diario*. En 1800 Cladera publicó un opúsculo contra la traducción que hizo Moratín del *Hamlet* de Shakespeare. Años más tarde, como amigo del mejor amigo de Moratín, Juan Antonio Melón, se reconoció orgullosamente como el modelo de don Hermógenes. [4]

Aun antes del estreno o la publicación de *La comedia nueva* el fecundo dramaturgo Luciano Francisco

4 Ramón de Mesonero Romanos, *Memorias de un setentón* (Madrid: *La Ilustración Española y Americana*, 1880), p. 10, n. 1.

Comella sospechaba, por rumores que habían llegado
a sus oídos, que él y su familia eran objeto de la sátira
y trató de impedir que se representase.

Comella era natural del pueblo catalán de Vich. Era
mayor que Moratín, contando en 1792 unos cuarenta
y un años. En la década anterior vivía en Madrid bajo
la protección del Marqués de Mortara, que había sido
compañero de armas de su padre y que había recogido
al joven cuando quedó huérfano. Una de las comedias
de Comella, la *Cecilia,* se representó en la casa de este
noble, y los marqueses junto con el autor y su esposa
hicieron los papeles. Comella se casó con María Teresa
Beyermón, doncella de la Marquesa de Mortara. Tuvieron cuatro hijos, dos hembras y dos varones. La
mayor, Joaquina, heredó la facilidad de su padre en
la versificación y solía ayudarle en la composición de
sus dramas. La esposa murió en 1792, poco después del
estreno de *La comedia nueva,* y Joaquina murió en 1800
antes que su padre. [5]

En una vida dedicada al teatro (murió a los sesenta
y un años), Comella escribió más de cien dramas. Eran
obras predilectas de los actores de su época, y el público también los favorecía aunque tal era la economía
del teatro de entonces que Comella jamás disfrutó de
una adecuada recompensa por su popularidad.

Ensayaba todos los géneros dramáticos, calificando
sus obras de tragedia, escena trágica, drama trágico,
drama, drama heroico, comedia, comedia heroica, comedia musical y ópera. Además cultivaba el género
chico: introducción, sainete, fin de fiesta y loa. Para
el año 1792, cuando Moratín había visto en tablas
sólo *El viejo y la niña,* Comella ya gozaba de fama
como autor de muchas obras. Sus lacrimosas *Cecilia*

---

[5] José Subirá Puig, *Un vate filarmónico: Don Luciano Comella*
(Madrid: Real Academia de Bellas Artes de San Fernando, 1935),
62 p. Carlos Cambronero, "Comella", *Revista Contemporánea,* CII
(1896), 567-82; CIII (1896), 41-58, 187-99, 308-319, 380-90, 479-91,
637-44; CIV (1896), 49-60, 206-211, 288-96, 398-405, 497-509.

(1786) y *Cecilia viuda* (1787) atraían al teatro al público femenino que se deshacía en lágrimas. *La Jacoba* (1789) captaba al público por las congojas de una casada —inglesa, por cierto— que se hallaba enredada en un triángulo amoroso. Su mayor fama la debía a sus tres *Federicos: Federico II, Rey de Prusia,* drama (1788); *Federico II en el campo de Torgau,* comedia heroica (1789); y *Federico II en Glatz,* drama heroico (1792). Estos dramas y otros muchos parecidos de Comella se caracterizaban por el enredo complicado, los frecuentes cambios de escena, los muchos personajes, especialmente soldados, gran estrépito de tambores —y su poco mérito literario. Leídos, parecían absurdos, pero en el teatro divertían mucho. Y es que para la época no eran faltos de valor. Comella bien entendía la mecánica de su arte, especialmente la distribución de las escenas y el desarrollo del enredo. Poseía sensibilidad y sabía presentar situaciones que despertaban la emoción del público. Honrado como persona, rendía homenaje en su teatro a la virtud y a la desgracia.

En 1790 Comella dio a la escena *El sitió de Calés.* No cabe duda que sirvió de modelo para el ficticio *El gran cerco de Viena* de Moratín. El espectador presencia las aflicciones que sufrieron los habitantes de aquel puerto cuando Eduardo III de Inglaterra lo sitió en el año 1346.

Aunque Comella no consiguió hacer un drama de valor literario, sí creó piezas de innegable atracción teatral. Si a su obra le faltaban cualidades literarias, en cambio, ofreció al público un repertorio enriquecido con los valores teatrales de la música y el espectáculo. Al redactar sus dramas trazaba su fondo musical. No se cantaban las palabras, pero a las palabras, y a la acción las acompañaba la música apropiada de la misma manera que el cine emplea la música para influir en las emociones del público. Los músicos más populares de la época componían para sus dramas: Blas Laserna, Pablo del Moral, Pablo Esteve y Bernardo Álvarez Acero. En

efecto, Comella es el más importante escritor español
del siglo XVIII del melodrama en el sentido original de
un drama romántico o sensacional en el que están entre-
mezcladas canciones y música orquestal.

Al recurso de la música añadió Comella el interés
del espectáculo que, a partir del siglo XVII, explotaba
la escena española en los autos sacramentales, en las
obras escénicas de los teatros de los Sitios Reales, en
la ópera italiana importada por Farinelli, en la comedia
de magia que daba primera importancia a los efectos
escénicos, y en el drama heroico, sea tragedia o comedia, que recalcaba todo lo grandioso e imponente. En
La esclava del Negro Ponto los sucesivos cambios de
escena representan el salón del trono, una galería de pa-
lacio, un jardín con una verja, una gran escalera, un
pórtico y una muralla con torres y almenas y más allá
de la muralla una vista de la ciudad que en el momento
oportuno empezará a arder con el mayor realismo. La
segunda escena del sainete *El menestral sofocado* tiene
lugar fuera de la puerta de una plaza de toros. En un
momento dado, según la acotación de Comella, la puerta
ha de abrirse y salen dos soldados a caballo seguidos
por las mulas con el toro muerto.

Una de las grandes virtudes de Comella desde el
punto de vista del actor fue que sabía crear grandes
papeles. Difícilmente podría señalarse en el siglo XVIII
obra más disparatada que *La esclava del Negro Ponto*:
una esclava sobrevive el asalto y el incendio de una
ciudad, los transportes amorosos del sultán, los celos
furiosos de la sultana, la rebelión de los genízaros, y
acaba por casarse con el victorioso general Solimán,
quien se convierte al cristianismo. El papel de la esclava
fue uno de los mayores triunfos de la gran Rita Luna,
quien se hizo retratar con el traje de esclava.

Tal era el antagonista a quien provocó Moratín con
su parodia del teatro de su época. Aunque sostenía el
autor de *La comedia nueva* que Comella no era el modelo específico, creía éste firmemente que Moratín le

satirizaba. El 27 de enero de 1792, menos de quince días antes del estreno, Comella poseía informes suficientes sobre la comedia para elevar una protesta al Conde de Cifuentes, Presidente del Consejo de Castilla. En su carta decía que en *La comedia nueva* Moratín le retrataba a él, a su esposa María Teresa Beyermón y a su hija, desfigurada con nombre de hermana, alegando en prueba de lo que dice que el poeta de la comedia está casado con una doncella de su antiguo amo, que tiene cuatro hijos, que la comedia que ha escrito se vende en los puestos del *Diario,* que la hermana (o sea, la hija) tiene dieciséis años, que el poeta la enseña gramática y ella escribe versos, que él es catalán y Moratín se mofa de la comida catalana. Además de estas insinuaciones directas, afirmaba Comella, Moratín inventa calumnias injuriosas: dice que la hija (la hermana) tiraba miguitas de pan al peluquín de don Hermógenes y supone que el poeta mantiene relaciones íntimas con una actriz. Apelando a las leyes que prohiben una sátira directa, pide que el Presidente imponga al autor las penas que determinan las leyes.

Al día siguiente, el Conde de Cifuentes entregó el asunto a don José Antonio Armona, Corregidor de Madrid y Juez Protector de los teatros. Armona, por su parte, buscó la opinión de sus censores don Santos Díez González y don Miguel de Manuel. Desde aquel momento Comella había perdido el proceso. Los dos censores eran profesores de los Reales Estudios de San Isidro, antigua escuela de los jesuitas, ya secularizada y en control de los neoclásicos. Los dos, y especialmente don Santos, eran amigos de Moratín. Sus informes se burlaban de Comella, desagraviando a Moratín por completo.

Entretanto, el vicario eclesiástico, mal informado, según nos dice Moratín, por consejeros que simpatizaban con Comella, negaba su aprobación. Por fin, cedió el vicario y luego aprobó la comedia también el

Corregidor el 5 de febrero, dos días antes del estreno, con una concesión a los críticos: se suprimió una palabra; no se ha registrado cuál fuera.

EL ESTRENO

Se verificó el estreno de *La comedia nueva* el 7 de febrero de 1792 por la compañía de Eusebio Ribera que en aquella época actuaba en el teatro del Príncipe. Manuel García Parra, miembro de una dilatada familia teatral y primer galán de la compañía desde 1788, representó a don Eleuterio. Moratín le admiró en el papel, sobre todo por su empleo de la voz y del gesto. En Polonia Rochel tuvo la comedia una excelente doña Agustina. Llevaba veintidós años en la escena madrileña. Durante quince años había sido graciosa y una cantante favorecida del público y entonces había comenzado a hacer papeles de más peso. Se había envuelto en carnes —algunos decían que había engordado— y en 1792 era tercera dama en la compañía. De ella se decía que nunca había hecho mal un papel. Juana García Ugalde, prima de Manuel García Parra y primera dama de la compañía, hizo el papel de doña Mariquita. Se decía que sus dotes corporales eran superiores a su talento artístico. Tenía la cara redonda y los ojos grandes y dulces, pero el alma la tenía helada. En este papel, sin embargo, Moratín pudo elogiarla, sobre todo por su empleo de la voz y del gesto.

En el papel de don Hermógenes, Mariano Querol creó el perfecto pedante. Hacía graciosos en los teatros de Madrid desde el año 1783, ascendiendo a primer gracioso en 1789, y ya tenía fama de ser único en los papeles de figurón. Al papel de don Pedro, trajo Manuel de la Torre, barba, su hermosa manera de recitar, su voz sonora y su gran habilidad para representar tanto el sabio filósofo como el gracioso.

Félix de Cubas, segundo galán de la compañía, representó a don Antonio. José García, hermano de la primera dama y segundo gracioso, hizo el papel de Pipí el camarero. Ya que era necesario un tercer gracioso, Francisco López, sobresaliente de las dos compañías de la corte, representó a don Serapio.

En una carta a su amigo Juan Pablo Forner, Moratín dio cuenta del éxito que tuvo su comedia a pesar de los intentos de los Chorizos de hacerla fracasar:

La turbamulta de los Chorizos, los pedantes, los críticos de esquina, y los autorcillos famélicos y sus partidarios, ocuparon una gran parte del patio y los extremos de las gradas; todo fue bien, el público aplaudió donde era menester; pero cuando en el segundo acto habla don Serapio de los pimientos en vinagre, fue tal la conmoción de la plebe choriza y el rumor que empezó a levantarse que yo temí que daban con la comedia y conmigo en los infiernos; pero los que no comen pimientos los hicieron callar y sufrir, y se acabó la representación con un aplauso general que bastó a vengarme de los trabajos padecidos. No obstante, como se desató tanto demonio por calles y rincones diciendo pestes de ella, quedó incierto su crédito el primer día; pero el éxito del segundo, así como el de los siete que duró, fue tan completo que excedió a las esperanzas que todos teníamos, y fue superior, sin duda, al que tuvo don Roque. [6]

La ejecución fue bastante buena, y la Juana, la frigidísima y yerta Juana, hizo maravillas; admiró en su papel a cuantos la oyeron, y a cada paso la interrumpían con aplausos.

Esto es cuanto hay que decir acerca de la tal comedia, puesto que los delirios y vaciedades que se oyen por ahí en boca del pestilente Nifo, el pálido Higuera, Concha, Zabala [7] y la demás garulla de insensatos, son buenos para

---

[6] Alusión al protagonista de *El viejo y la niña* (22 de mayo, 1790). La carta fue impresa por Eugenio de Ochoa, *Epistolario español*, B. A. E., 42 (Madrid: M. Rivadeneyra, 1870), II, 216-17.

[7] Francisco Mariano Nifo (1719-1803), prolífico periodista y partidario del teatro nacional, fue también autor de comedias. José Concha fue actor y dramaturgo. Gaspar Zabala y Zamora escribió

oídos pero fastidiosos de escribirse. Lo restante del público
la ha recibido con mucho entusiasmo. La gente bien intencionada piensa que una obra como ésta debía causar la
reforma del teatro; pero yo creo que seguirá como hasta
aquí, y que Comella gozará en paz de su corona dramática.

La función del Príncipe tuvo buena taquilla. En los
siete días que permaneció en cartel, el teatro de la
Cruz puso tres comedias: *Magdalena cautiva, Hechos
heroicos y nobles del valor godo español* y *El asombro
de Salerno.* El de los Caños del Peral ofreció tres obras
musicales: *La Fedra, Las aventuras del galanteo* y *La
cifra.* Los ingresos (en reales) de la taquilla durante
estos días sugieren que el público estaba dispuesto a
recibir bien la comedia moratiniana, pero al mismo
tiempo seguía gozando de la comedia que él mismo satirizaba: [8]

		Príncipe	Cruz	Caños
martes	7 febrero	6546	4009	4305
miércoles	8	5007	2917	3868
jueves	9	4495	4568	6480
viernes	10	3296	2593	4307
sábado	11	3668	2437	4804
domingo	12	4004	4635	5925
lunes	13	4503	6435	4094

Los críticos de la época elogiaron la pieza en sus
reseñas. El *Diario,* que estaba en manos de los neoclásicos, publicaba su reseña el 21 de febrero:

Nada tiene esta comedia que no sea apreciable. El artificio es tan verosímil, como que los sucesos son prácticos
en la substancia; su fin moral excelente, pues se alienta a

comedias parecidas a las de Comella y Valladares, coetáneos suyos.
Miguel de la Higuera fue amigo de la gran actriz María del Rosario
Fernández, la *Tirana.*
    [8] *Diario de Madrid,* 8-14 febrero, 1792.

que el teatro sea lo que debe ser, esto es la escuela de las buenas costumbres, el templo del buen gusto; sus situaciones naturalísimas, sus episodios tan oportunos como unidos a la acción principal; su estilo natural, familiar y propio del carácter de cada personaje. En fin, en ella se observan las tres unidades y demás preceptos, sin que por eso se defraude en nada al ingenio, y a las bellezas delicadas que se hallan esparcidas en la pieza. [9]

Dos años después el *Memorial Literario* comentó una reposición de la obra:

Esta comedia se ha representado de dos años a esta parte tres o cuatro veces, y aunque esto en otro género de comedias no probaría su bondad, en ésta debe hacer excepción. El público ha conocido que le servía de instrucción, dirigiéndole a conocer las buenas comedias y discernirlas de las malas; y esto mismo le ha divertido porque le ha enseñado lo que por otra parte no pudiera conocer sino muy tarde, o a la fuerza de particular estudio. [10]

LENGUAJE Y ESPECTÁCULO

Moratín escribió su primera comedia, *El viejo y la niña,* en verso como era tradicional en la comedia; para *La comedia nueva* empleó prosa. Esta obra es cómica, pero por su tono didáctico se le puede considerar como perteneciente a la categoría del *drame* serio, o sea la que denominó Beaumarchais "le genre dramatique sérieux". En Francia, se usaba la prosa en el teatro desde hacía muchos años: M. Jourdain de *Le Bourgeois gentilhomme* de Molière se alegró al saber que él hablaba en prosa, por ejemplo. El teatro español era reacio al abandono del verso, aunque el género

[9] *Diario de Madrid,* 21 febrero, 1792.
[10] Citado por Ada M. Coe, *Catálogo bibliográfico y crítico de las comedias anunciadas en los periódicos de Madrid desde 1661 hasta 1819,* The John Hopkins Studies in Romance Literatures and Languages, 9 (Baltimore: The John Hopkins Press, 1935), p. 47-48.

chico empleaba la prosa desde el principio, y en el siglo XVIII varios escritores dramáticos ensayaban la prosa en obras de mayor extensión. La aportación de Moratín, entonces, descansa no en la novedad sino más bien en la calidad de su lenguaje. En *La comedia nueva* y más tarde en *El sí de las niñas* creó un nivel de prosa dramática que había de servir de modelo para los dramaturgos españoles del siglo XIX y aun del XX.

En el extranjero los profesores de lengua española apreciaron *La comedia nueva* por lo que pudieron sus alumnos aprender en ella. Un tal Manuel Ramajo, que usó el anagrama Ojamar como seudónimo, publicó *Das neue Lustspiel, oder Das Kaffeehaus* en Dresde en 1800, colocando paralelos los textos español y alemán. [11] El autor anónimo de *Les Éléments de la conversation espagnole et française* añadió a su colección de diálogos las versiones en español y en francés de *La Nouvelle comédie, ou Le Café.* [12]

La comedia también tuvo traductores por su propio mérito. En Italia Pietro Napoli Signorelli, antiguo amigo del padre de Moratín y secretario de la Academia de Ciencias en Nápoles, publicó su traducción al italiano. No llegó a representarse. El mismo Moratín comentó que primero sería necesario acomodarla a la situación italiana, un procedimiento que haría precisa una refundición completa. [13] Años después el romántico francés Gérard de Nerval se sintió atraído por la comedia y empezó una adaptación. Su amigo Arthus Fleury la

---

[11]   *La comedia nueva, o El café.* Comedia en dos actos por Don Leandro Fernández de Moratín, traducida al alemán por Manuel Ojamar (Dresde: Henríquez Gerlach, 1800). *Das neue Lustspiel, oder Das Kaffeehaus.* Ein Schauspiel in zwei Aufzügen. Aus dem Spanishchen des Leandro Fernández von Moratín, übersetzt von Manuel Ojamar (Dresden: Heinrich Gerlach, 1800), 151 p.

[12]   *Les Élements de la conversation espagnole et française, ou dialogues espagnols et français, à l'usage des deux nations.* Ouvrage aunquel on a joint la *Nouvelle Comédie, ou le Café,* comédie en deux actes et en prose, en espagnol et en français (Paris: Théophile Barrois Fils, 1803), 191 p.

[13]   *Obras póstumas,* II, 169-70.

llevó a cabo con *Le Nouveau genre, ou Le Café d'un théâtre,* que publicó en 1860 con una dedicatoria a Victoria Silvela de Figuera, hija del buen amigo de Moratín, Manuel Silvela. [14]

Moratín tomó parte activa en los ensayos de *La comedia nueva.* No necesitaba gran cosa en la parte del espectáculo, pero el autor se veía y se deseaba para conseguir una obra bien ejecutada en lo material y para animar a los actores a que interpretaran los papeles tal como él los había concebido. El mejorar este aspecto del teatro era uno de los objetos de los reformadores, y no cabía duda que la escena española pecaba mucho en este ramo. Un escritor de la época recordaba al gran Antonio Robles en el papel de Aristóteles en *El maestro de Alejandro* por Fernando de Zárate (s. XVII). Se vestía a la manera de la corte de Luis XVI en casaca bordada, medias de seda y peluca empolvada. Aunque gozaba fama de ser el Roscio del teatro español, no se abría la boca sin primero toser cinco o seis veces, empleando sin reticencia el pañuelo o bien escupiendo; y luego, ajustando su sombrero emplumado, poniendo unos guantes de hilo y cambiando el bastón de una mano para la otra, emprendió su exordio. [15]

Unos años más tarde Moratín, mejor conocido y con amigos poderosos, consiguió un verdadero golpe. Se trataba del año 1799 cuando llegaba a su apogeo el movimiento para la reforma del teatro. Los actores de la compañía de Luis Navarro preparaban la reposición de *La comedia nueva.* Moratín quería imponerles ciertas exigencias que ellos aceptaban, por cierto, pero el dramaturgo deseaba además el apoyo del Juez

---

[14] Gérard de Nerval, *Le Nouveau genre, ou le Café d'un théâtre.* Comédie... imitée de Leandro Moratín, commencée par Gérard de Nerval et terminée par Arthus Fleury (Paris: J. Barbée, 1860), 79 págs.

[15] "Modern Spanish Theatre", *The New Monthly Magazine,* XI (1824), 187. El artículo está firmado "G". Se le ha atribuido a José María Blanco White y a Eduardo Gorostiza.

Protector. El día 14 de junio de 1799 se dirigió a don Juan de Morales Guzmán y Tovar enviándole una lista de siete requisitos que pedía:

1. Tendría el derecho de repasar y cambiar el texto de una comedia suya antes de que la compañía emprendiera una reposición.

2. Podría elegir los actores y las actrices de ambas compañías que estudiarían los papeles que se les destinaran "sin réplica ni excusa alguna".

3. Cada cómico se prestaría a recibir sus advertencias y ensayarían a su vista, juntos o separados.

4. Los cómicos ensayarían toda la comedia cuantas veces lo juzgara necesario el autor.

5. Hasta que lo creyera conveniente, no se fijaría la fecha de la primera representación.

6. Los dos últimos ensayos se harían con la decoración y aparato teatral que habría de servir en la representación.

7. El autor habría de ver la decoración, los muebles y los trajes con ocho días de anticipación para aprobarlos o sugerir reformas convenientes.

Parece que Moratín ya estaba en contacto con Morales, puesto que al día siguiente le escribió el Juez Protector otorgándole todo lo que pedía. El 24 de junio aprobó la lista de actores y mandó su decisión al director de la compañía. [16] El 29 Moratín leyó la comedia a los actores, y apunta en su diario que durante el mes siguiente asistió a catorce ensayos, ocho parciales o individuales y seis generales. Cuatro actores hacían los mismos papeles que habían hecho en 1792: Manuel García Parra, el de don Eleuterio; Mariano Querol, don Hermógenes; Francisco López, don Serapio, y José García Hugalde, Pipí. Para hacer los papeles de las

16 Archivo de la Villa, Madrid, Corregimiento, MS. 1-40-64, "Órdenes a la Compañía de Navarro para que se sujeten a las disposiciones del Sr. D. Leandro Fernández de Moratín, Madrid, 14 de junio de 1799". René Andioc, "A propos d'une reprise de *La comedia nueva* de Leandro Fernández de Moratín", *Bulletin Hispanique*, LXIII (1961), 54-61.

mujeres, eligió Moratín a María Rivera, cuarta dama de la compañía, para el de doña Agustina; y para el de doña Mariquita fue a la última de la lista para elegir a la joven Coleta Paz, sobresaliente en ambas compañías, quien en años futuros había de destacarse como excelente actriz.

Se representó la pieza del 27 de julio al 4 de agosto. La taquilla no fue tan buena como en el año 1792, pero los ingresos fueron elevados para una función de pleno verano, fluctuando entre un máximo de 5499 reales y un bajo de 2308.

La insistencia de Moratín en la alta calidad de toda función teatral con que él tenía que ver y su manera de imponer su voluntad a los actores le valían unas representaciones superiores. Sin embargo, el mismo Moratín no era optimista sobre la influencia de *La comedia nueva* para elevar el arte escénico en España. Bien sabía que en cualquier época el número de comedias buenas es inferior a la demanda por comedias de cualquier clase. En los años después de su estreno *La comedia nueva* aparecía con frecuencia en los teatros de Madrid, precedida o seguida por las mismas comedias que satirizaba. Moratín no confiaba en su atracción permanente, escribiendo: "Llegará sin duda la época en que desaparezca de la escena, que en el género cómico sólo sufre la pintura de los vicios y errores actuales; pero será un monumento de historia literaria, único en su género, y no indigno, tal vez, de la estimación de los doctos". [17]

Por los años 1833 a 1843 alternaba en las tablas con las grandes obras del teatro romántico. Un ejemplar usado por un actor de entonces da una lista de los personajes con los mejores actores del día: Matilde Díez, Josefa Palma, Carlos Latorre, Julián Romea, Antonio Guzmán, Francisco Romea, Vicente Hermosa, y José Plá. Uno de ellos escribió en la cubierta:

[17] *Obras póstumas*, I, 94.

Por mucho que digan
sabios escritores,
siempre habrá en el mundo
poetas ramplones
y pueblo que aplauda
necias producciones. [18]

EL TEXTO

La última edición impresa que revisó Moratín es el
texto de las *Obras dramáticas y líricas,* París, 1825. En
la Biblioteca Nacional, Madrid, Signatura R/2571-3,
hay un ejemplar de esta edición, falto de portadas y
grabados, en el que Moratín hizo los últimos retoques
a sus obras. En este ejemplar está basado el texto de
esta edición de *La comedia nueva.* He modernizado la
puntuación y la ortografía. He señalado alguna variante
de la edición príncipe de 1792, pero de unas doscientas
que existen he escogido sólo las que ofrecen sumo interés. [19]

JOHN DOWLING

[18] Biblioteca Municipal, Madrid, MS. 1-95-3 (Impreso), *La comedia nueva, o El café* (s. l., s. f.).
[19] Este estudio representa una versión algo abreviada de un
capítulo de mi libro *Leandro Fernández de Moratín* (New York:
Twayne Publishers, Inc., 1971). A mi colega Luis Beltrán le agra-
dezco su revisión y sus comentarios.

LA COMEDIA NUEVA.

COMEDIA

EN DOS ACTOS,

EN PROSA.

REPRESENTADA EN EL COLISEO DEL PRINCIPE
EN 7 DE FEBRERO DE 1792.

CON LICENCIA.

MADRID: EN LA OFICINA DE BENITO CANO,
Año de 1792.

Non ego ventosae plebis suffragia
venor.

HORACIO, *Epístolas*, Libro I, 19. *

* No solicito la aprobación del
vulgo inestable.

ADVERTENCIA

"Esta comedia ofrece una pintura fiel del estado actual de nuestro teatro (dice el prólogo de su primera edición); pero ni en los personajes ni en las alusiones se hallará nadie retratado con aquella identidad que es necesaria en cualquiera copia, para que por ella pueda indicarse el original. Procuró el autor, así en la formación de la fábula como en la elección de los caracteres, imitar la naturaleza en lo universal, formando de muchos un solo individuo".

En el prólogo que precede a la edición de Parma se dice: "De muchos escritores ignorantes que abastecen nuestra escena de comedias desatinadas, de sainetes groseros, de tonadillas necias y escandalosas, formó un Don Eleuterio; de muchas mujeres sabidillas y fastidiosas, una Doña Agustina; de muchos pedantes erizados, locuaces, presumidos de saberlo todo, un Don Hermógenes; de muchas farsas monstruosas, llenas de disertaciones morales, soliloquios furiosos, hambre calagurritana, revista de ejércitos, batallas, tempestades, bombazos y humo, formó *El gran cerco de Viena*; pero ni aquellos personajes, ni esta pieza existen".

Don Eleuterio es, en efecto, el compendio de todos los malos poetas dramáticos que escribían en aquella época, y la comedia de que se le supone autor, un monstruo imaginario, compuesto de todas las extravagancias que se representaban entonces en los teatros

59

de Madrid. Si en esta obra se hubiesen ridiculizado
los desaciertos de Cañizares, Añorbe o Zamora, inútil
ocupación hubiera sido censurar a quien ya no podía
enmendarse ni defenderse.

Las circuntancias de tiempo y lugar, que tanto
abundan en esta pieza, deben ya necesariamente hacerla perder una parte del aprecio público, por haber desaparecido u alterádose los originales que imitó; pero
el transcurso mismo del tiempo la hará más estimable
a los que apetezcan adquirir conocimiento del estado
en que se hallaba nuestra dramática en los veinte años
últimos del siglo anterior. Llegará sin duda la época
en que desaparezca de la escena (que en el género
cómico sólo sufre la pintura de los vicios y errores
vigentes); pero será un monumento de historia literaria, único en su género, y no indigno tal vez de la
estimación de los doctos.

Luego que el autor se la leyó á la compañía de
Ribera, que la debía representar, empezaron a con-
moverse los apasionados de la compañía de Martínez.
Cómicos, músicos, poetas, todos hicieron causa común,
creyendo que de la representación de ella resultaría su
total descrédito y la ruina de sus intereses. Dijeron
que era un sainete largo, un diálogo insulso, una sátira, un libelo infamatorio; y bajo este concepto se hicieron reclamaciones enérgicas al gobierno para que
no permitiera su publicación. Intervino en su examen
la autoridad del presidente del consejo, la del corregidor de Madrid y la del vicario eclesiástico; sufrió
cinco censuras, y resultó de todas ellas que no era un
libelo sino una comedia escrita con arte, capaz de pro-
ducir efectos muy útiles en la reforma del teatro. Los
cómicos la estudiaron con esmero particular, y se acer-
caba el día de hacerla. Los que habían dicho antes
que era un diálogo insípido, temiendo que tal vez no
le pareciese al público tan mal como a ellos, trataron
de juntarse en gran número, y acabar con ella en su
primera representación, la cual se verificó en el teatro
del Príncipe, el día 7 de febrero de 1792.

El concurso la oía con atención, sólo interrumpida por sus mismos aplausos; los que habían de silbarla no hallaban la ocasión de empezar, y su desesperación llegó al extremo cuando creyeron ver su retrato en la pintura que hace D. Serapio de la ignorante plebe que en aquel tiempo favorecía o desacreditaba el mérito de las piezas y de los actores, y tiranizando el teatro, concedía su protección a quien más se esmeraba en solicitarla por los medios que allí se indican. El patio recibió la lección áspera que se le daba, con toda la indignación que era de temer en quien iba tan mal dispuesto a recibirla; lo restante del auditorio logró imponer silencio a aquella irritada muchedumbre, y los cómicos siguieron más animados desde entonces y con más seguridad del éxito. Al exclamar D. Eleuterio en la escena viii del acto II: *¡Picarones! ¿Cuándo han visto ellos comedia mejor?* supo decirlo el actor que desempeñaba este papel con expresión tan oportunamente equívoca que la mayor parte del concurso (aplicando aquellas palabras a lo que estaba sucediendo) interrumpió con aplausos la representación. La turba de los conjurados perdió la esperanza y el ánimo, y el general aprecio que obtuvo en aquel día esta comedia no pudo ser más conforme a los deseos del autor.

Manuel Torres sobresalió en el papel de D. Pedro, dándole toda la nobleza y expresión que pide; Juana García, en el de Doña Mariquita, mereció general estimación, nada dejó que desear, y dio a las tareas de los artífices asunto digno; Polonia Rochel representó con acierto la presunción necia de Doña Agustina; el excelente actor Mariano Querol pintó en D. Hermógenes un completo pedante, escogido entre los muchos que pudo imitar. Manuel García Parra excitó el entusiasmo del público en su papel de D. Eleuterio: la voz, el gesto, los ademanes, el traje, todo fue tan acomodado al carácter que representó, que parecía en él naturaleza lo que era estudio.

PERSONAS

(con indicación de los actores del estreno)

D. ELEUTERIO, joven dramaturgo	*Manuel García Parra*
DOÑA AGUSTINA, su esposa	*Polonia Rochel*
DOÑA MARIQUITA, su hermana	*Juana García*
D. HERMÓGENES, pedante	*Mariano Querol*
D. PEDRO	*Manuel de la Torre*
D. ANTONIO	*Félix de Cubas*
D. SERAPIO, apasionado del teatro	*Francisco López*
PIPÍ, camarero	*José García*

~~~~~~

La escena es en un café de Madrid, inmediato a un teatro.

El teatro representa una sala con mesas, sillas y aparador de café; en el foro una puerta con escalera a la habitación principal, y otra puerta a un lado que da paso a la calle.

La acción empieza a las cuatro de la tarde, y acaba a las seis.

ACTO I

~~~~~~

ESCENA PRIMERA

D. ANTONIO, PIPÍ

(D. Antonio sentado junto a una mesa; Pipí paseándose.)

D. ANTONIO

Parece que se hunde el techo. Pipí.

PIPÍ

Señor.

D. ANTONIO

¿Qué gente hay arriba, que anda tal estrépito? ¿Son locos?

PIPÍ

No, señor; poetas.

D. ANTONIO

¿Cómo poetas?

PIPÍ

Sí, señor, ¡así lo fuera yo! ¡No es cosa! Y han tenido una gran comida. Burdeos, pajarete, marrasquino, ¡uh!

D. ANTONIO

¿Y con qué motivo se hace esa francachela?

PIPÍ

Yo no sé; pero supongo que será en celebridad de la comedia nueva que se representa esta tarde, escrita por uno de ellos.

D. ANTONIO

¿Conque han hecho una comedia? ¡Haya picarillos!

PIPÍ

¿Pues qué, no lo sabía usted?

D. ANTONIO

No, por cierto.

PIPÍ

Pues ahí está el anuncio en el diario.

D. ANTONIO

En efecto, aquí está. *(Leyendo el diario que está sobre la mesa.)* COMEDIA NUEVA, INTITULADA: EL GRAN CERCO DE VIENA. ¡No es cosa! Del sitio de una ciudad hacen una comedia. Si son el diantre. ¡Ay, amigo Pipí, cuánto más vale ser mozo de café que poeta ridículo!

PIPÍ

Pues, mire usted, la verdad, yo me alegrara de saber hacer, así, alguna cosa...

D. ANTONIO

¿Cómo?

PIPÍ

Así, de versos... ¡Me gustan tanto los versos!

D. ANTONIO

¡Oh! los buenos versos son muy estimables; pero hoy día son tan pocos los que saben hacerlos; tan pocos, tan pocos.

PIPÍ

No, pues los de arriba bien se conoce que son del arte. ¡Válgame Dios, cuántos han echado por aquella boca! Hasta las mujeres.

D. ANTONIO

¡Oiga! ¿También las señoras decían coplillas?

PIPÍ

¡Vaya! Allí hay una Doña Agustina, que es mujer del autor de la comedia... ¡Qué! si usted viera... Unas décimas componía de repente... No es así la otra, que en toda la mesa no ha hecho más que retozar con aquel D. Hermógenes, y tirarle miguitas de pan al peluquín.

D. ANTONIO

¿D. Hermógenes está arriba? ¡Gran pedantón!

PIPÍ

Pues con ése se ha estado jugando, y cuando la decían: Mariquita, una copla, vaya una copla, se hacía la vergonzosa; y por más que la estuvieron azuzando a ver si rompía, nada. Empezó una décima y no la pudo acabar, porque decía que no encontraba el consonante; pero Doña Agustina, su cuñada... ¡Oh! aquélla, sí. Mire usted lo que es... Ya se ve, en teniendo vena.

D. ANTONIO

Seguramente. ¿Y quién es ése que cantaba poco ha, y daba aquellos gritos tan descompasados?

PIPÍ

¡Oh! ése es D. Serapio.

D. ANTONIO

¿Pero qué es? ¿Qué ocupación tiene?

PIPÍ

Él es... Mire usted. A él le llaman Don Serapio.

D. ANTONIO

¡Ah! sí. Ese es aquel bullebulle que hace gestos a las cómicas, y las tira dulces a la silla [1] cuando pasan, y va todos los días a saber quién dió cuchillada; [2] y desde que se levanta hasta que se acuesta no cesa de hablar de la temporada de verano, la chupa del sobresaliente, y las partes de por medio. [3]

PIPÍ

Ese mismo. ¡Oh! ése es de los apasionados finos. Aquí se viene todas las mañanas a desayunar, y arma unas disputas con los peluqueros que es un gusto oirle. Luego se va allá abajo, al barrio de Jesús. Se juntan cuatro amigos, hablan de comedias, altercan, ríen, fuman en los portales. D. Serapio los introduce aquí y acullá hasta que da la una, se despiden, y él se va a comer con el apuntador.

D. ANTONIO

¿Y ese D. Serapio es amigo del autor de la comedia?

PIPÍ

¡Toma! Son uña y carne. Y él ha compuesto el casamiento de Doña Mariquita, la hermana del poeta, con D. Hermógenes.

D. ANTONIO

¿Qué me dices? ¿D. Hermógenes se casa?

PIPÍ

¡Vaya si se casa! Como que parece que la boda no se ha hecho ya, porque el novio no tiene un cuarto, ni el poeta tampoco; pero le ha dicho que con el

---

[1] Silla de manos.
[2] Dar cuchillada: la frase se refiere al exceso del producto que tenía una compañía sobre otra.
[3] Actores o actrices de segunda clase que, además de la asignación diaria, participan de las utilidades de la compañía.

dinero que le den por esta comedia, y lo que ganará
en la impresión, les pondrá la casa y pagará las deudas
de D. Hermógenes, que parece que son bastantes.

D. ANTONIO

Sí serán. ¡Cáspita si serán! Pero, y si la comedia apes-
ta, y por consecuencia ni se la pagan ni se vende,
¿qué harán entonces?

PIPÍ

Entonces, ¿qué sé yo? Pero, ¡qué! No, señor. Si dice
D. Serapio que comedia mejor no se ha visto en tablas.

D. ANTONIO

¡Ah! pues si D. Serapio lo dice, no hay que temer.
Es dinero contante, sin remedio. Figúrate tú, si D.
Serapio y el apuntador sabrán muy bien dónde les
aprieta el zapato, y cuál comedia es buena, y cuál deja
de serlo.

PIPÍ

Eso digo yo; pero a veces... Mire usted, no hay paciencia. Ayer, ¡qué! les hubiera dado con una tranca.
Vinieron ahí tres o cuatro a beber ponch, y empezaron
a hablar, hablar de comedias, ¡vaya! Yo no me puedo
acordar de lo que decían. Para ellos no había nada
bueno: ni autores, ni cómicos, ni vestidos, ni música,
ni teatro. ¿Qué sé yo cuánto dijeron aquellos maldítos?
Y dale con el arte, el arte, la moral y... Deje usted,
las... ¿Si me acordaré? Las... ¡Válgate Dios! ¿Cómo
decían? Las... las reglas... ¿Qué son las reglas?

D. ANTONIO

Hombre, difícil es explicártelo. Reglas son unas cosas
que usan allá los extranjeros, particularmente los fran-
ceses.

PIPÍ

Pues, ya decía yo: esto no es cosa de mi tierra.

D. ANTONIO

Sí tal, aquí también se gastan, y algunos han escrito comedias con reglas; bien que no llegarán a media docena (por mucho que se estire la cuenta) las que se han compuesto.

PIPÍ

Pues, ya se ve; mire usted, ¡reglas! No faltaba más. ¿A que no tiene reglas la comedia de hoy?

D. ANTONIO

¡Oh! eso yo te lo fío: bien puedes apostar ciento contra uno a que no las tiene.

PIPÍ

Y las demás que van saliendo cada día tampoco las tendrán; ¿no es verdad usted?

D. ANTONIO

Tampoco. ¿Para qué? No faltaba otra cosa sino que para hacer una comedia se gastaran reglas. No, señor.

PIPÍ

Bien; me alegro. Dios quiera que pegue [4] la de hoy, y luego verá usted cuántas escribe el bueno de D. Eleuterio. Porque, lo que él dice, si yo me pudiera ajustar con los cómicos a jornal, entonces... ¡Ya se ve! mire usted si con un buen situado, [5] podía él...

D. ANTONIO

Cierto. (*Aparte*. ¡Qué simplicidad!)

PIPÍ

Entonces escribiría. ¡Qué! todos los meses sacaría dos o tres comedias... Como es tan hábil.

D. ANTONIO

¿Conque es muy hábil, eh?

---

[4] Que tenga éxito.
[5] Renta señalada sobre bienes productivos.

PIPÍ

¡Toma! poquito le quiere el segundo barba; y si en
él consistiera, ya se hubieran echado las cuatro o cinco comedias que tiene escritas; pero no han querido
los otros, y ya se ve, como ellos lo pagan. En diciendo,
no nos ha gustado, o así, andar ¡qué diantres! Y
luego, como ellos saben lo que es bueno, y en fin,
mire usted si ellos... ¿No es verdad?

D. ANTONIO

Pues ya.

PIPÍ

Pero, deje usted, que aunque es la primera que le representan, me parece a mí que ha de dar golpe.

D. ANTONIO

¿Conque es la primera?

PIPÍ

La primera. Si es mozo todavía. Yo me acuerdo...
Habrá cuatro o cinco años que estaba de escribiente
ahí en esa lotería de la esquina, y le iba muy ricamen-
te; pero como después se hizo paje, y el amo se le
murió a lo mejor, y él se había casado de secreto con
la doncella, y tenía ya dos criaturas, y después le han
nacido otras dos o tres; viéndose él así, sin oficio ni
beneficio, ni pariente ni habiente, ha cogido y se ha
hecho poeta.

D. ANTONIO

Y ha hecho muy bien.

PIPÍ

Pues, ya se ve; lo que él dice, si me sopla la musa,
puedo ganar un pedazo de pan para mantener aquellos
angelitos, y así ir trampeando hasta que Dios quiera
abrir camino.

ESCENA II

D. PEDRO, D. ANTONIO, PIPÍ

D. PEDRO

Café.

(D. Pedro se sienta junto a una mesa distante de D. Antonio; Pipí le sirve el café.)

PIPÍ

Al instante.

D. ANTONIO

No me ha visto.

PIPÍ

¿Con leche?

D. PEDRO

No. Basta.

PIPÍ

¿Quién es éste?
(A D. Antonio, al retirarse.)

D. ANTONIO

Éste es D. Pedro de Aguilar: hombre muy rico, generoso, honrado, de mucho talento; pero de un carácter tan ingenuo, tan serio y tan duro, que le hace intratable a cuantos no son sus amigos.

PIPÍ

Le veo venir aquí algunas veces; pero nunca habla, siempre está de mal humor.

E S C E N A   I I I

D. SERAPIO, D. ELEUTERIO, D. PEDRO, D. ANTONIO, PIPÍ

D .   S E R A P I O

¡Pero, hombre, dejarnos así!
(Bajando la escalera, salen por la puerta del foro.)

D .   E L E U T E R I O

Si se lo he dicho a usted ya. La tonadilla que han puesto a mi función no vale nada, la van a silbar, y quiero concluir ésta mía para que la canten mañana.

D .   S E R A P I O

¿Mañana? ¿Conque mañana se ha de cantar, y aún no están hechas ni letra ni música?

D .   E L E U T E R I O

Y aun esta tarde pudieran cantarla, si usted me apura. ¿Qué dificultad? Ocho o diez versos de introducción, diciendo que callen y atiendan, y chitito. Después unas cuantas coplillas del mercader que hurta, el peluquero que lleva papeles, la niña que está opilada, el cadete que se baldó en el portal; cuatro equivoquillos, etc., y luego se concluye con seguidillas de la tempestad, el canario, la pastorcilla y el arroyito. La música ya se sabe cuál ha de ser: la que se pone en todas; se aña- de o se quita un par de gorgoritos, y estamos al cabo de la calle.

D .   S E R A P I O

¡El diantre es usted, hombre! Todo se lo halla hecho.

D. ELEUTERIO

Voy, voy a ver si la concluyo; falta muy poco. Súbase usted.

(D. Eleuterio se sienta junto a una mesa inmediata al foro; saca papel y tintero y escribe.)

D. SERAPIO

Voy allá; pero...

D. ELEUTERIO

Sí, sí, váyase usted, y si quieren más licor, que lo suba el mozo.

D. SERAPIO

Sí, siempre será bueno que lleven un par de frasquillos más. Pipí.

PIPÍ

Señor.

D. SERAPIO

Palabra.

(D. Serapio habla en secreto con Pipí y vuelve a irse por la puerta del foro; Pipí toma del aparador unos frasquillos, y se va por la misma parte.)

D. ANTONIO

¿Cómo va, amigo D. Pedro?

(D. Antonio se sienta cerca de D. Pedro.)

D. PEDRO

¡Oh, señor D. Antonio! No había reparado en usted. Va bien.

D. ANTONIO

¿Usted a estas horas por aquí? Se me hace extraño.

Francisco de Goya. *Leandro Fernández de Moratín (1799)*

Real Academia de Bellas Artes de San Fernando, Madrid

El Teatro de la Cruz, en el siglo XIX

El Siglo Pintoresco, Madrid, 1846

D. PEDRO

En efecto lo es; pero he comido ahí cerca. A fin de
mesa se armó una disputa entre dos literatos que apenas saben leer. Dijeron mil despropósitos, me fastidié,
y me vine.

D. ANTONIO

Pues con ese genio tan raro que usted tiene, se ve precisado a vivir como un ermitaño en medio de la corte.

D. PEDRO

No, por cierto. Yo soy el primero en los espectáculos,
en los paseos, en las diversiones públicas; alterno los
placeres con el estudio; tengo pocos, pero buenos amigos, y a ellos debo los más felices instantes de mi vida.
Si en las concurrencias particulares soy raro algunas
veces, siento serlo; pero ¿qué le he de hacer? Yo no
quiero mentir, ni puedo disimular, y creo que el decir
la verdad francamente es la prenda más digna de un
hombre de bien.

D. ANTONIO

Sí; pero cuando la verdad es dura a quien ha de oírla,
¿qué hace usted?

D. PEDRO

Callo.

D. ANTONIO

¿Y si el silencio de usted le hace sospechoso?

D. PEDRO

Me voy.

D. ANTONIO

No siempre puede uno dejar el puesto, y entonces...

D. PEDRO

Entonces digo la verdad.

D. ANTONIO

Aquí mismo he oído hablar muchas veces de usted. Todos aprecian su talento, su instrucción y su probidad; pero no dejan de extrañar la aspereza de su carácter.

D. PEDRO

¿Y por qué? Porque no vengo a predicar al café. Porque no vierto por la noche lo que leí por la mañana. Porque no disputo, ni ostento erudición ridícula, como tres, o cuatro, o diez pedantes que vienen aquí a perder el día y a excitar la admiración de los tontos y la risa de los hombres de juicio. ¿Por eso me llaman áspero y extravagante? Poco me importa. Yo me hallo bien con la opinión que he seguido hasta aquí, de que en un café jamás debe hablar en público el que sea prudente.

D. ANTONIO

¿Pues qué debe hacer?

D. PEDRO

Tomar café.

D. ANTONIO

¡Viva! Pero hablando de otra cosa, ¿qué plan tiene usted para esta tarde?

D. PEDRO

A la comedia.

D. ANTONIO

¿Supongo que irá usted a ver la pieza nueva?

D. PEDRO

¿Qué, han mudado? Ya no voy.

D. ANTONIO

¿Pero, por qué? Vea usted sus rarezas.
(Sale Pipí por la puerta del foro con salvilla, copas y frasquillos que dejará sobre el mostrador.)

D. PEDRO

¿Y usted me pregunta por qué? ¿Hay más que ver la lista de las comedias nuevas que se representan cada año, para inferir los motivos que tendré de no ver la de esta tarde?

D. ELEUTERIO

¡Hola! Parece que hablan de mi función.
(Escuchando la conversación.)

D. ANTONIO

De suerte que, o es buena, o es mala. Si es buena, se admira y se aplaude; si por el contrario, está llena de sandeces, se ríe uno, se pasa el rato, y tal vez...

D. PEDRO

Tal vez me han dado impulsos de tirar al teatro el sombrero, el bastón y el asiento, si hubiera podido. A mí me irrita lo que a usted le divierte. *(Guarda D. Eleuterio papel y tintero, y se va acercando hasta ponerse en medio de los dos.)* Yo no sé: usted tiene talento, y la instrucción necesaria para no equivocarse en materias de literatura; pero usted es el protector nato de todas las ridiculeces. Al paso que conoce usted y elogia las bellezas de una obra de mérito, no se detiene en dar iguales aplausos a lo más disparatado y absurdo; y con una rociada de pullas, chufletas e ironías, hace usted creer al mayor idiota que es un prodigio de habilidad. Ya se ve, usted dirá que se divierte; pero amigo...

D. ANTONIO

Sí, señor, que me divierto. Y por otra parte, ¿no sería cosa cruel ir repartiendo por ahí desengaños amargos a ciertos hombres, cuya felicidad estriba en su propia ignorancia? ¿Ni cómo es posible persuadirles?...

D. ELEUTERIO

No, pues... Con permiso de ustedes. La función de esta tarde es muy bonita, seguramente; bien puede usted ir a verla, que yo le doy mi palabra de que le ha de gustar.

D. ANTONIO

¿Es éste el autor?

(D. Antonio se levanta y después de la pregunta que hace a Pipí vuelve a hablar con D. Eleuterio.)

PIPÍ

El mismo.

D. ANTONIO

¿Y de quién es? ¿Se sabe?

D. ELEUTERIO

Señor, es de un sujeto bien nacido, muy aplicado, de buen ingenio, que empieza ahora la carrera cómica; bien que el pobrecillo no tiene protección.

D. PEDRO

Si es ésta la primera pieza que da al teatro, aún no puede quejarse; si ella es buena, agradará necesariamente, y un gobierno ilustrado como el nuestro, que sabe cuanto interesan a una nación los progresos de la literatura, no dejará sin premio a cualquiera hombre de talento, que sobresalga en un género tan difícil.

D. ELEUTERIO

Todo eso va bien; pero lo cierto es que el sujeto tendrá que contentarse con sus quince doblones que le darán los cómicos (si la comedia gusta) y muchas gracias.

D. ANTONIO

¿Quince? Pues yo creí que eran veinte y cinco.

D. ELEUTERIO

No, señor, ahora en tiempo de calor no se da más. Si fuera por el invierno, entonces...

D. ANTONIO

¡Calle! ¿Conque en empezando a helar, valen más las comedias? Lo mismo sucede con los besugos.

(D. Antonio se pasea. D. Eleuterio unas veces le dirige la palabra y otras se acerca hacia D. Pedro, que no le contesta, ni le mira. Vuelve a hablar con D. Antonio, parándose o siguiéndole, lo cual formará juego de teatro.)

D. ELEUTERIO

Pues, mire usted, aun con ser tan poco lo que dan, el autor se ajustaría de buena gana, para hacer por el precio todas las funciones que necesitase la compañía; pero hay muchas envidias. Unos favorecen a éste, otros a aquél, y es menester una tecla para mantenerse en la gracia de los primeros vocales, que... ¡Ya, ya! Y luego, como son tantos a escribir y cada uno procura despachar su género, entran los empeños, las gratificaciones, las rebajas... Ahora mismo acaba de llegar un estudiante gallego con unas alforjas llenas de piezas manuscritas: comedias, follas, zarzuelas, dramas, melodramas, loas, sainetes... ¿Qué sé yo cuánta ensalada trae allí? Y anda solicitando que los cómicos le compren todo el surtido, y da cada obra a trescientos reales, una con otra. ¡Ya se ve! ¿Quién ha de poder competir con un hombre que trabaja tan barato?

D. ANTONIO

Es verdad, amigo. Ese estudiante gallego hará malísima obra a los autores de la corte.

D. ELEUTERIO

Malísima. Ya ve usted cómo están los comestibles.

D. ANTONIO

Cierto.

D. ELEUTERIO

Lo que cuesta un mal vestido que uno se haga.

D. ANTONIO

En efecto.

D. ELEUTERIO

El cuarto.

D. ANTONIO

¡Oh! sí, el cuarto. Los caseros son crueles.

D. ELEUTERIO

Y si hay familia.

D. ANTONIO

No hay duda, si hay familia es cosa terrible.

D. ELEUTERIO

Vaya usted a competir con el otro tuno, que con seis cuartos de callos y medio pan tiene el gasto hecho.

D. ANTONIO

¿Y qué remedio? Ahí no hay más sino arrimar el hombro al trabajo: escribir buenas piezas, darlas muy baratas, que se representen, que aturdan al público, y

ver si se puede dar con el gallego en tierra. Bien que
la de esta tarde es excelente, y para mí tengo que...

D. ELEUTERIO

¿La ha leído usted?

D. ANTONIO

No, por cierto.

D. PEDRO

¿La han impreso?

D. ELEUTERIO

Sí, señor. ¿Pues no se había de imprimir?

D. PEDRO

Mal hecho. Mientras no sufra el examen del público
en el teatro, está muy expuesta, y sobre todo, es demasiada confianza en un autor novel.

D. ANTONIO

¡Qué! No, señor. Si le digo a usted que es cosa muy
buena. ¿Y dónde se vende?

D. ELEUTERIO

Se vende en los puestos del *Diario*, en la librería de
Pérez, en la de Izquierdo, en la de Gil, en la de Zurita,
y en el puesto de los cobradores a la entrada del coliseo. Se vende también en la tienda de vinos de la
calle del Pez, en la del herbolario de la calle Ancha,
en la jabonería de la calle del Lobo, en la...

D. PEDRO

¿Se acabará esta tarde esa relación?

D. ELEUTERIO

Como el señor preguntaba.

D. PEDRO

Pero no preguntaba tanto. ¡Si no hay paciencia!

D. ANTONIO

Pues la he de comprar, no tiene remedio.

PIPÍ

Si yo tuviera dos reales. ¡Voto va!

D. ELEUTERIO

Véala usted aquí.

(Saca una comedia impresa, y se la da a D. Antonio.)

D. ANTONIO

¡Oiga! es ésta. A ver. Y ha puesto su nombre. Bien, así me gusta: con eso la posteridad no se andará dando de calabazadas por averiguar la gracia del autor. *(Lee D. Antonio.)* "*Por* D. ELEUTERIO CRISPÍN DE ANDORRA... *Salen el emperador Leopoldo, el rey de Polonia y Federico, senescal, vestidos de gala, con acompañamiento de damas y magnates, y una brigada de húsares a caballo.*" ¡Soberbia entrada! Y dice el emperador:

> *Ya sabéis, vasallos míos,*
> *Que habrá dos meses y medio*
> *Que el turco puso a Viena*
> *Con sus tropas el asedio,*
> *Y que para resistirle*
> *Unimos nuestros denuedos,*
> *Dando nuestros nobles bríos,*
> *En repetidos encuentros,*
> *Las pruebas mas relevantes*
> *De nuestros invictos pechos.*

¡Qué estilo tiene! ¡Cáspita! ¡Qué bien pone la pluma el pícaro!

Bien conozco que la falta
Del necesario alimento
Ha sido tal, que rendidos
De la hambre a los esfuerzos,
Hemos comido ratones,
Sapos y sucios insectos. [6]

D. ELEUTERIO

¿Qué tal? ¿No le parece a usted bien?
(Hablando a D. Pedro.)

D. PEDRO

¡Eh! a mí, qué...

D. ELEUTERIO

Me alegro que le guste a usted. Pero no, donde hay un paso muy fuerte es al principio del segundo acto. Búsquele usted... ahí... por ahí ha de estar. Cuando la dama se cae muerta de hambre.

D. ANTONIO

¿Muerta?

D. ELEUTERIO

Sí, señor, muerta.

D. ANTONIO

¡Qué situación tan cómica! ¿Y estas exclamaciones que hace aquí, contra quién son?

---

[6] La edición príncipe sigue con este divertido intercambio:

D. ANTONIO
Estos insectos sucios serán regularmente arañas, polillas, moscones, correderas...

D. ELEUTERIO
Sí, señor.

D. ANTONIO
¡Estupendo potaje para un ventorrillo de Cataluña!

D. ELEUTERIO

Contra el visir, que la tuvo seis días sin comer, porque ella no quería ser su concubina.

D. ANTONIO

¡Pobrecita! ¡Ya se ve! el visir sería un bruto.

D. ELEUTERIO

Sí, señor.

D. ANTONIO

Hombre arrebatado. ¿Eh?

D. ELEUTERIO

Sí, señor.

D. ANTONIO

Lascivo como un mico, feote de cara, ¿es verdad?

D. ELEUTERIO

Cierto.

D. ANTONIO

Alto, moreno, un poco bizco, grandes bigotes.

D. ELEUTERIO

Sí, señor, sí. Lo mismo me le he figurado yo.

D. ANTONIO

¡Enorme animal! Pues no, la dama no se muerde la lengua. ¡No es cosa cómo le pone! Oiga usted, D. Pedro.

D. PEDRO

No, por Dios; no lo lea usted.

D. ELEUTERIO

Es que es uno de los pedazos más terribles de la comedia.

D. PEDRO

Con todo eso.

D. ELEUTERIO

Lleno de fuego.

D. PEDRO

Ya.

D. ELEUTERIO

Buena versificación.

D. PEDRO

No importa.

D. ELEUTERIO

Que alborotará en el teatro si la dama lo esfuerza.

D. PEDRO

Hombre, si he dicho ya que...

D. ANTONIO

Pero, a lo menos, el final del acto segundo es menester oírle.

(Lee D. Antonio; y al acabar, da la comedia a D. Eleuterio.)

EMP.	*Y en tanto que mis recelos...*
VISIR.	*Y mientras mis esperanzas...*
SENESC.	*Y hasta que mis enemigos...*
EMP.	*Averiguo,*
VISIR.	*Logre,...*
SENESC.	*Caigan,...*
EMP.	*Rencores, dadme favor,...*
VISIR.	*No me dejes, tolerancia,...*
SENESC.	*Denuedo, asiste a mi brazo,...*
TODOS.	*Para que admire la patria*
	El más generoso ardid
	Y la más tremenda hazaña.

D. PEDRO

Vamos, no hay quien pueda sufrir tanto disparate.
(Se levanta impaciente, en ademán de irse.)

D. ELEUTERIO

¿Disparates los llama usted?

D. PEDRO

¿Pues no?
(D. Antonio observa a los dos, y se ríe.)

D. ELEUTERIO

¡Vaya, que es también demasiado! ¡Disparates! Pues no, no los llaman disparates los hombres inteligentes que han leído la comedia. Cierto que me ha chocado. ¡Disparates! Y no se ve otra cosa en el teatro todos los días, y siempre gusta, y siempre lo aplauden a rabiar.

D. PEDRO

¿Y esto se representa en una nación culta?

D. ELEUTERIO

¡Cuenta que me ha dejado contento la expresión! ¡Disparates!

D. PEDRO

¿Y esto se imprime, para que los extranjeros se burlen de nosotros?

D. ELEUTERIO

¡Llamar disparates a una especie de coro entre el emperador, el visir y el senescal! Yo no sé qué quieren estas gentes. Si hoy día no se puede escribir nada, nada que no se muerda y se censure. ¡Disparates! ¡Cuidado que!...

PIPÍ

No haga usted caso.

D. ELEUTERIO

(Hablando con Pipí hasta el fin de la escena.)

Yo no hago caso; pero me enfada que hablen así. Figúrate tú, si la conclusión puede ser más natural, ni más ingeniosa. El emperador está lleno de miedo por un papel que se ha encontrado en el suelo sin firma ni sobrescrito, en que se trata de matarle. El visir está rabiando por gozar de la hermosura de Margarita, hija del conde de Strambangaum, que es el traidor...

PIPÍ

¡Calle! ¡Hay traidor también! ¡Cómo me gustan a mí las comedias en que hay traidor!

D. ELEUTERIO

Pues, como digo: el visir está loco de amores por ella; el senescal, que es hombre de bien si los hay, no las tiene todas consigo, porque sabe que el conde anda tras de quitarle el empleo, y contínuamente lleva chismes al emperador contra él; de modo que como cada uno de estos tres personajes está ocupado en su asunto, habla de ello, y no hay cosa más natural.

(Saca la comedia y lee.)

> *Y en tanto que mis recelos,...*
> *Y mientras mis esperanzas,...*
> *Y hasta que mis...*

¡Ah! señor D. Hermógenes, a que buena ocasión llega usted.

(Guarda la comedia, encaminándose a D. Hermógenes, que sale por la puerta del foro.)

ESCENA IV

D. HERMÓGENES, D. ELEUTERIO, D. PEDRO, D. ANTONIO, PIPÍ

D . HERMÓGENES

Buenas tardes, señores.

D . PEDRO

A la orden de usted.

(D. Pedro se acerca a la mesa en que está el diario; lee para sí, y a veces presta atención a lo que hablan los demás.)

D . ANTONIO

Felicísimas, amigo D. Hermógenes.

D . ELEUTERIO

Digo, me parece que el señor D. Hermógenes será juez muy abonado para decidir la cuestión que se trata; todo el mundo sabe su instrucción y lo que ha trabajado en los papeles periódicos, las traducciones que ha hecho del francés, sus actos literarios, y sobre todo, la escrupulosidad y el rigor con que censura las obras ajenas. Pues yo quiero que nos diga...

D . HERMÓGENES

Usted me confunde con elogios que no merezco, señor D. Eleuterio. Usted solo es acreedor a toda alabanza, por haber llegado en su edad juvenil al pináculo del saber. Su ingenio de usted, el más ameno de nuestros días, su profunda erudición, su delicado gusto en el arte rítmica, su...

D . ELEUTERIO

Vaya, dejemos eso.

D. HERMÓGENES

Su docilidad, su moderación...

D. ELEUTERIO

Bien; pero aquí se trata solamente de saber si...

D. HERMÓGENES

Estas prendas sí que merecen admiración y encomio.

D. ELEUTERIO

Ya, eso sí; pero díganos usted lisa y llanamente si la comedia que hoy se representa es disparatada o no.

D. HERMÓGENES

¿Disparatada? ¿Y quién ha prorrumpido en un aserto tan...

D. ELEUTERIO

Eso no hace al caso. Díganos usted lo que le parece, y nada más.

D. HERMÓGENES

Sí, diré; pero antes de todo conviene saber que el poema dramático admite dos géneros de fábula. *Sunt autem fabulae, aliae simplices, aliae implexae.* Es doctrina de Aristóteles. [7] Pero lo diré en griego para mayor claridad. *Eisi de ton mython oi men aploi oi de peplegmenoi. Cai gar ai praxeis...*

D. ELEUTERIO

Hombre; pero si...

D. ANTONIO

Yo reviento.

(Siéntase, haciendo esfuerzos para contener la risa.)

---

[7] *Poética*, X. Dice el texto que cita D. Hermógenes: "Las fábulas son de dos clases, unas sencillas y otras complicadas, porque las acciones mismas que imitan son, en efecto, tales".

D. HERMÓGENES

Cai gar ai praxeis on mimeseis oi...

D. ELEUTERIO

Pero...

D. HERMÓGENES

Mythoi eisin iparchousin.

D. ELEUTERIO

Pero, si no es eso lo que a usted se le pregunta.

D. HERMÓGENES

Ya estoy en la cuestión. Bien que, para la mejor inteligencia, convendría explicar lo que los críticos entienden por prótasis, epítasis, catástasis, catástrofe, peripecia, agnicion, ó anagnórisis: [8] partes necesarias a toda buena comedia, y que según Escalígero, Vossio, Dacier, Marmontel, Castelvetro y Daniel Heinsio...

D. ELEUTERIO

Bien, todo eso es admirable; pero...

D. PEDRO

Este hombre es loco.

D. HERMÓGENES

Si consideramos el origen del teatro, hallaremos que los megareos, los sículos y los atenienses...

D. ELEUTERIO

D. Hermógenes, por amor de Dios, si no...

---

[8] Prótasis, exposición; epítasis, enredo; catástasis, punto culminante; catástrofe, desenlace; peripecia, cambio repentino de situación; agnición o anagnórisis, reconocimiento de la verdadera personalidad de un personaje.

D. HERMÓGENES

Véanse los dramas griegos, y hallaremos que Anaxippo, Anaxándrides, Eúpolis, Antíphanes, Philípides, Cratino, Crates, Epicrates, Menecrates y Pherecrates...

D. ELEUTERIO

Si le he dicho a usted que...

D. HERMÓGENES

Y los más celebérrimos dramaturgos de la edad pretérita, todos, todos convinieron, *nemine discrepante,* en que la prótasis debe preceder a la catástrofe necesariamente. Es así que la comedia de *El cerco de Viena...*

D. PEDRO

Adiós, señores.

(Se encamina hacia la puerta. D. Antonio se levanta y procura detenerle.)

D. ANTONIO

¿Se va usted, D. Pedro?

D. PEDRO

¿Pues quién, sino usted, tendrá frescura para oír eso?

D. ANTONIO

Pero si el amigo D. Hermógenes nos va a probar, con la autoridad de Hipócrates y Martín Lutero, que la pieza consabida, lejos de ser un desatino...

D. HERMÓGENES

Ese es mi intento: probar que es un acéfalo insipiente cualquiera que haya dicho que la tal comedia contiene irregularidades absurdas; y yo aseguro que delante de mí ninguno se hubiera atrevido a propalar tal aserción.

D. PEDRO

Pues yo delante de usted la propalo, y le digo que por lo que el señor ha leído de ella, y por ser usted el que la abona, infiero que ha de ser cosa detestable; que su autor será un hombre sin principios ni talento, y que usted es un erudito a la violeta, presumido y fastidioso hasta no más. Adiós, señores. *(Hace que se va, y vuelve.)*

D. ELEUTERIO

Pues a este caballero le ha parecido muy bien lo que ha visto de ella.

(Señalando a D. Antonio.)

D. PEDRO

A ese caballero le ha parecido muy mal; pero es hombre de buen humor, y gusta de divertirse. A mí me lastima en verdad la suerte de estos escritores que entontecen al vulgo con obras tan desatinadas y monstruosas, dictadas, más que por el ingenio, por la necesidad o la presunción. Yo no conozco al autor de esa comedia, ni sé quién es; pero si ustedes, como parece, son amigos suyos, díganle en caridad que se deje de escribir tales desvaríos; que aún está a tiempo, puesto que es la primera obra que publica; que no le engañe el mal ejemplo de los que deliran a destajo; que siga otra carrera en que, por medio de un trabajo honesto, podrá socorrer sus necesidades y asistir a su familia, si la tiene. Díganle ustedes que el teatro español tiene de sobra autorcillos chanflones que le abastezcan de mamarrachos; que lo que necesita es una reforma fundamental en todas sus partes; y que mientras ésta no se verifique, los buenos ingenios que tiene la nación, o no harán nada, o harán lo que únicamente baste para manifestar que saben escribir con acierto, y que no quieren escribir.

D. HERMÓGENES

Bien dice Séneca en su Epístola diez y ocho que...

D. PEDRO

Séneca dice en todas sus Epístolas que usted es un pedantón ridículo a quien yo no puedo aguantar. Adiós, señores.

ESCENA V

D. ANTONIO, D. ELEUTERIO, D. HERMÓGENES, PIPÍ

D. HERMÓGENES

Yo pedantón! *(Encarándose hacia la puerta por donde se fue D. Pedro. D. Eleuterio se pasea inquieto.)* ¡Yo, que he compuesto siete prolusiones [9] grecolatinas sobre los puntos más delicados del derecho!

D. ELEUTERIO

¡Lo que él entenderá de comedias cuando dice que la conclusión del segundo acto es mala!

D. HERMÓGENES

Él será el pedantón.

D. ELEUTERIO

¡Hablar así de una pieza que ha de durar lo menos quince días! Y si empieza a llover...

D. HERMÓGENES

Yo estoy graduado en leyes, y soy opositor a cátedras, y soy académico, y no he querido ser dómine de Pioz. [10]

D. ANTONIO

Nadie pone duda en el mérito de usted, señor D. Hermógenes, nadie; pero esto ya se acabó, y no es cosa de acalorarse.

---

[9] Prólogo.
[10] Pueblo cercano a Alcalá de Henares, célebre en una época por su cátedra de latinidad.

D. ELEUTERIO

Pues la comedia ha de gustar, mal que le pese.

D. ANTONIO

Sí, señor, gustará. Voy a ver si le alcanzo y, *velis nolis,* he de hacer que la vea para castigarle.

D. ELEUTERIO

Buen pensamiento; sí, vaya usted.

D. ANTONIO

En mi vida he visto locos más locos.

ESCENA VI

D. HERMÓGENES, D. ELEUTERIO, PIPÍ

D. ELEUTERIO

Llamar detestable a la comedia! ¡Vaya, que estos hombres gastan un lenguaje que da gozo oírle!

D. HERMÓGENES

Aquila non capit muscas, [11] Don Eleuterio. Quiero decir que no haga usted caso. A la sombra del mérito crece la envidia. A mí me sucede lo mismo. Ya ve usted si yo sé algo...

D. ELEUTERIO

¡Oh!

D. HERMÓGENES

Digo, me parece que (sin vanidad) pocos habrá que...

---

[11] Proverbial: El águila no caza moscas.

D. ELEUTERIO

Ninguno. Vamos, tan completo como usted, ninguno.

D. HERMÓGENES

Que reúnan el ingenio a la erudición, la aplicación al gusto, del modo que yo (sin alabarme) he llegado a reunirlos. ¿Eh?

D. ELEUTERIO

Vaya, de eso no hay que hablar; es más claro que el sol que nos alumbra.

D. HERMÓGENES

Pues bien. A pesar de eso, hay quien me llama pedante, y casquivano, y animal cuadrúpedo. Ayer, sin ir más lejos, me lo dijeron en la Puerta del Sol delante de cuarenta o cincuenta personas.

D. ELEUTERIO

¡Picardía! ¿Y usted qué hizo?

D. HERMÓGENES

Lo que debe hacer un gran filósofo. Callé, tomé un polvo, y me fui a oír una misa a la Soledad.

D. ELEUTERIO

Envidia todo, envidia. ¿Vamos arriba?

D. HERMÓGENES

Esto lo digo para que usted se anime, y le aseguro que los aplausos que... Pero, dígame usted, ¿ni siquiera una onza de oro le han querido adelantar a usted a cuenta de los quince doblones de la comedia?

D. ELEUTERIO

Nada, ni un ochavo. Ya sabe usted las dificultades que ha habido para que esa gente la reciba. Por último

hemos quedado en que no han de darme nada hasta
ver si la pieza gusta o no.

D. HERMÓGENES

¡Oh! ¡corvas almas! Y precisamente en la ocasión
más crítica para mí. Bien dice Tito Livio que cuando...

D. ELEUTERIO

¿Pues qué hay de nuevo?

D. HERMÓGENES

Ese bruto de mi casero... El hombre más ignorante
que conozco. Por año y medio que le debo de alqui-
leres, me pierde el respeto, me amenaza...

D. ELEUTERIO

No hay que afligirse. Mañana o esotro es regular que
me den el dinero; pagaremos a ese bribón, y si tiene
usted algún pico en la hostelería, también se...

D. HERMÓGENES

Sí, aun hay un piquillo. Cosa corta.

D. ELEUTERIO

Pues bien. Con la impresión, lo menos ganaré cuatro
mil reales.

D. HERMÓGENES

Lo menos. Se vende toda seguramente.
(Vase Pipí por la puerta del foro.)

D. ELEUTERIO

Pues con ese dinero saldremos de apuros; se adornará
el cuarto nuevo: unas sillas, una cama y algún otro
chisme. Se casa usted. Mariquita, como usted sabe, es
aplicada, hacendosilla y muy mujer: ustedes estarán en
mi casa continuamente. Yo iré dando las otras cuatro

comedias, que pegando la de hoy, las recibirán los cómicos con palio. Pillo la moneda, las imprimo, se venden; entretanto ya tendré algunas hechas y otras en el telar: Vaya, no hay que temer. Y sobre todo, usted saldrá colocado de hoy a mañana: una intendencia, una toga, una embajada, ¿qué sé yo? Ello es que el ministro le estima a usted. ¿No es verdad?

D. HERMÓGENES

Tres visitas le hago cada día.

D. ELEUTERIO

Sí, apretarle, apretarle. Subamos arriba, que las mujeres ya estarán...

D. HERMÓGENES

Diez y siete memoriales le he entregado la semana última.

D. ELEUTERIO

¿Y qué dice?

D. HERMÓGENES

En uno de ellos puse por lema aquel celebérrimo dicho del poeta: *Pallida mors æquo pulsat pede pauperum tabernas regumque turres.* [12]

D. ELEUTERIO

¿Y qué dijo cuando leyó eso de las tabernas?

D. HERMÓGENES

Que bien; que ya está enterado de mi solicitud.

D. ELEUTERIO

Pues, no le digo a usted. Vamos, eso está conseguido.

---

[12] Horacio, *Odas*, Libro I, 14, vv. 13-14. "La pálida muerte pisa con igual paso las cabañas de los pobres y los castillos de los reyes..."

D. HERMÓGENES

Mucho lo deseo para que a este consorcio apetecido
acompañe el episodio de tener qué comer, puesto que
sine Cerere et Bacho friget Venus. [13] Y entonces. ¡Oh!
entonces... Con un buen empleo y la blanca mano de
Mariquita, ninguna otra cosa me queda que apetecer
sino que el cielo me conceda numerosa y masculina sucesión.

(Vanse por la puerta del foro.)

---

[13] Proverbial, y también, con *Libero* (Liber, antigua deidad
itálica) en vez de *Bacho,* en Terencio, *Eunuchus,* 4, 5, 6; y en
Cicerón, *De Deorum Natura,* 2, 23, 60.

Una escena de *La comedia nueva*

Edición de París, 1825

La actriz Juana García

ACTO II

~~~~~~

ESCENA PRIMERA

DOÑA AGUSTINA, DOÑA MARIQUITA,
D. SERAPIO, D. HERMÓGENES, D.
ELEUTERIO

(Salen por la puerta del foro.)

D. SERAPIO

EL trueque de los puñales, créame usted, es de lo mejor que se ha visto.

D. ELEUTERIO

¿Y el sueño del emperador?

DOÑA AGUSTINA

¿Y la oración que hace el visir a sus ídolos?

DOÑA MARIQUITA

Pero a mí me parece que no es regular que el emperador se durmiera, precisamente en la ocasión más...

D. HERMÓGENES

Señora, el sueño es natural en el hombre, y no hay dificultad en que un emperador se duerma, porque los vapores húmedos que suben al cerebro...

DOÑA AGUSTINA

¿Pero usted hace caso de ella? ¡Qué tontería! Si no sabe lo que se dice. ¿Y a todo esto, qué hora tenemos?

D. SERAPIO

Serán. Deje usted. Podrán ser ahora...

D. HERMÓGENES

Aquí está mi reloj, que es puntualísimo. Tres y media cabales.

DOÑA AGUSTINA

¡Oh! pues aun tenemos tiempo. Sentémonos, una vez que no hay gente.

(Siéntanse todos, menos D. Eleuterio.)

D. SERAPIO

¿Qué gente ha de haber? Si fuera en otro cualquier día... pero hoy todo el mundo va a la comedia.

DOÑA AGUSTINA

Estará lleno, lleno.

D. SERAPIO

Habrá hombre que dará esta tarde dos medallas por un asiento de luneta.

D. ELEUTERIO

Ya se ve, comedia nueva, autor nuevo y...

DOÑA AGUSTINA

Y que ya la habrán leído muchísimos, y sabrán lo que es. Vaya, no cabrá un alfiler; aunque fuera el coliseo siete veces más grande.

D. SERAPIO

Hoy los Chorizos [14] se mueren de frío y de miedo. Ayer noche apostaba yo al marido de la graciosa seis onzas

---

[14] Es decir, los apasionados de la compañía rival. Véase el estudio introductorio.

de oro a que no tienen esta tarde en su corral cien reales de entrada.

D. ELEUTERIO

¿Conque la apuesta se hizo en efecto? ¿Eh?

D. SERAPIO

No llegó el caso, porque yo no tenía en el bolsillo más que dos reales y unos cuartos... Pero ¡cómo los hice rabiar! y qué...

D. ELEUTERIO

Soy con ustedes; voy aquí a la librería, y vuelvo.

DOÑA AGUSTINA

¿A qué?

D. ELEUTERIO

¿No te lo he dicho? Si encargué que me trajesen ahí la razón de lo que va vendido, para que...

DOÑA AGUSTINA

Sí, es verdad. Vuelve presto.

D. ELEUTERIO

Al instante.

ESCENA II

DOÑA AGUSTINA, DOÑA MARIQUITA, D. SERAPIO, D. HERMÓGENES

DOÑA MARIQUITA

Qué inquietud! ¡qué ir y venir! No para este hombre.

DOÑA AGUSTINA

Todo se necesita, hija; y si no fuera por su buena diligencia, y lo que él ha minado y revuelto, se hubiera quedado con su comedia escrita y su trabajo perdido.

DOÑA MARIQUITA

¿Y quién sabe lo que sucederá todavía, hermana? Lo cierto es que yo estoy en brasas; porque, vaya, si la silban, yo no sé lo que será de mí.

DOÑA AGUSTINA

¿Pero por qué la han de silbar, ignorante? ¡Qué tonta eres, y qué falta de comprensión!

DOÑA MARIQUITA

Pues, siempre me está usted diciendo eso. *(Sale Pipí por la puerta del foro con platos, botellas, etc. Lo deja todo en el mostrador, y vuelve a irse por la misma parte.)* Vaya que algunas veces me... ¡Ay, D. Hermógenes! no sabe usted qué ganas tengo de ver estas cosas concluidas, y poderme ir a comerme un pedazo de pan con quietud a mi casa sin tener que sufrir sinrazones.

D. HERMÓGENES

No el pedazo de pan, sino ese hermoso pedazo de cielo, me tiene a mí impaciente hasta que se verifique el suspirado consorcio.

DOÑA MARIQUITA

¡Suspirado, sí, suspirado! Quién le creyera a usted.

D. HERMÓGENES

¿Pues quién ama tan de veras como yo cuando ni Píramo, ni Marco Antonio, ni los Tolomeos Egipcios, ni todos los Seleúcidas de Asiria sintieron jamás un amor comparable al mío?

DOÑA AGUSTINA

¡Discreta hipérbole! Viva, viva. Respóndele, bruto.

DOÑA MARIQUITA

¿Qué he de responder, señora, si no le he entendido una palabra?

DOÑA AGUSTINA

¡Me desespera!

DOÑA MARIQUITA

Pues digo bien. ¿Qué sé yo quién son esas gentes de quien está hablando? Mire usted, para decirme: Mariquita, yo estoy deseando que nos casemos. Así que su hermano de usted coja esos cuartos, verá usted como todo se dispone; porque la quiero a usted mucho, y es usted muy guapa muchacha, y tiene usted unos ojos muy peregrinos, y... ¿Qué sé yo? Así. Las cosas que dicen los hombres.

DOÑA AGUSTINA

Sí, los hombres ignorantes, que no tienen crianza ni talento, ni saben latín.

DOÑA MARIQUITA

¡Pues, latín! Maldito sea su latín. Cuando le pregunto cualquiera friolera, casi siempre me responde en latín, y para decir que se quiere casar conmigo, me cita tantos autores... Mire usted qué entenderán los autores de eso, ni qué les importará a ellos que nosotros nos casemos o no.

DOÑA AGUSTINA

¡Qué ignorancia! Vaya, D. Hermógenes, lo que le he dicho a usted. Es menester que usted se dedique a instruirla y descortezarla; porque, la verdad, esa estupidez me avergüenza. Yo, bien sabe Dios que no he podido más; ya se ve, ocupada continuamente en ayudar a mi marido en sus obras, en corregírselas (como usted habrá visto muchas veces), en sugerirle ideas a fin de que salgan con la debida perfección, no he tenido tiempo para emprender su enseñanza. Por otra parte, es increíble lo que aquellas criaturas me molestan. El uno que llora, el otro que quiere mamar, el otro que rompió la taza, [15] el otro que se cayó de la silla, me tienen continuamente afanada. Vaya, yo lo he dicho mil veces, para las mujeres instruidas es un tormento la fecundidad.

DOÑA MARIQUITA

¡Tormento! ¡Vaya, hermana, que usted es singular en todas sus cosas! Pues yo si me caso, bien sabe Dios que...

DOÑA AGUSTINA

Calla, majadera, que vas a decir un disparate.

D. HERMÓGENES

Yo la instruiré en las ciencias abstractas; la enseñaré la prosodia; haré que copie a ratos perdidos el *Arte magna* de Raimundo Lulio, [16] y que me recite de memoria todos los martes dos o tres hojas del diccionario de Rubiños. [17] Después aprenderá los logaritmos y algo de la estática; después...

DOÑA MARIQUITA

Después me dará un tabardillo pintado, y me llevará Dios. ¡Se habrá visto tal empeño! No, señor; si soy ignorante, buen provecho me haga. Yo sé escribir y ajustar una cuenta, sé guisar, sé planchar, sé coser, sé zurcir, sé bordar, sé cuidar de una casa; yo cuidaré

---

[15] Ed. príncipe: el otro que está puerco...
[16] *Ars Magna*, tratado de lógica del mallorquín Raimundo Lulio, o sea Ramón Lull (1233-1315).
[17] Ildefonso López Rubiños publicó en 1754 una edición del *Vocabulario latinoespañol* (Salamanca, 1492), de Antonio de Nebrija (1444-1522) con notas, adiciones y enmiendas.

de la mía, y de mi marido, y de mis hijos, y yo me los criaré. Pues, señor, ¿no sé bastante? Que por fuerza he de ser doctora y marisabidilla, y que he de hacer coplas. ¿para qué? ¿Para perder el juicio? Que permita Dios si no me parece casa de locos la nuestra, desde que mi hermano ha dado en esas manías. Siempre disputando marido y mujer sobre si la escena es larga o corta, siempre contando las letras por los dedos para saber si los versos están cabales o no, si el lance a obscuras ha de estar antes de la batalla o después del veneno, y manoseando continuamente gacetas y mercurios para buscar nombres bien extravagantes, que casi todos acaban en *of* y en *graf,* para embutir con ellos sus relaciones... Y entretanto, ni se barre el cuarto, ni la ropa se lava, ni las medias se cosen; y lo que es peor, ni se come ni se cena. ¿Qué le parece a usted que comimos el domingo pasado, D. Serapio?

D. SERAPIO

Yo, señora, ¿cómo quiere usted que...?

DOÑA MARIQUITA

Pues lléveme Dios, si todo el banquete no se redujo a libra y media de pepinos, bien amarillos y bien gordos, que compré a la puerta, y un pedazo de rosca que sobró del día anterior. Y éramos seis bocas a comer, que el más desganado se hubiera engullido un cabrito y media hornada sin levantarse del asiento.

DOÑA AGUSTINA

Ésta es su canción. Siempre quejándose de que no come, y trabaja mucho. Menos como yo, y más trabajo en un rato que me ponga a corregir alguna escena, o arreglar la ilusión de una catástrofe, que tú cosiendo y fregando, u ocupada en otros ministerios viles y mecánicos.

D. HERMÓGENES

Sí, Mariquita, sí; en eso tiene razón mi señora Doña Agustina. Hay gran diferencia de un trabajo a otro, y los experimentos cotidianos nos enseñan que toda mujer que es literata y sabe hacer versos, *ipso facto* se halla exonerada de las obligaciones domésticas. Yo lo probé en una disertación que leí a la Academia de los Cinocéfalos. [18] Allí sostuve que los versos se confeccionan con la glándula pineal, y los calzoncillos con los tres dedos llamados *pollex, index* e *infamis*; que es decir, que para lo primero se necesita toda la argucia del ingenio, cuando para lo segundo basta sólo la costumbre de la mano. Y concluí, a satisfacción de todo mi auditorio, que es más difícil hacer un soneto que pegar un hombrillo, y que más elogio merece la mujer que sepa componer décimas y redondillas que la que sólo es buena para hacer un pisto con tomate, un ajo de pollo, o un carnero verde.

DOÑA MARIQUITA

Aún por eso en mi casa no se gastan pistos, ni carneros verdes, ni pollos, ni ajos. Ya se ve: en comiendo versos, no se necesita cocina.

D. HERMÓGENES

Bien está, sea lo que usted quiera, ídolo mío; pero si hasta ahora se ha padecido alguna estrechez (*angustam pauperiem* que dijo el profano), de hoy en adelante será otra cosa.

DOÑA MARIQUITA

¿Y qué dice el profano? ¿que no silbarán esta tarde la comedia?

D. HERMÓGENES

No, señora, la aplaudirán.

---

18 Cinocéfalo, o sea cuadrumano o mamífero que tiene en las cuatro extremidades el dedo pulgar separado de modo que puede tocar u oponerse a cualquiera de los otros.

D. SERAPIO

Durará un mes, y los cómicos se cansarán de representarla.

DOÑA MARIQUITA

No, pues no decían eso ayer los que encontramos en la botillería. ¿Se acuerda usted, hermana? Y aquél más alto, a fe que no se mordía la lengua.

D. SERAPIO

¿Alto? ¿uno alto, eh? Ya le conozco. *(Levántase.)* ¡Picarón, vicioso! Uno de capa. que tiene un chirlo en las narices. ¡Bribón! Ése es un oficial de guarnicionero, muy apasionado de la otra compañía. ¡Alborotador! que él fue el que tuvo la culpa de que silbaran la comedia de *El monstruo más espantable del ponto de Calidonia,* que la hizo un sastre, pariente de un vecino mío; pero yo le aseguro al...

DOÑA MARIQUITA

¿Qué tonterías está usted ahí diciendo? Si no es ése de quien yo hablo.

D. SERAPIO

Sí, uno alto, mala traza, con una señal que le coge...

DOÑA MARIQUITA

Si no es ése.

D. SERAPIO

¡Mayor gatallón! ¡Y qué mala vida dio a su mujer! ¡Pobrecita! Lo mismo la trataba que a un perro.

DOÑA MARIQUITA

Pero si no es ése, dale. ¿A qué viene cansarse? Éste era un caballero muy decente, que no tiene ni capa, ni chirlo, ni se parece en nada al que usted nos pinta.

D. SERAPIO

Ya, pero voy al decir. ¡Unas ganas tengo de pillar al tal guarnicionero! No irá esta tarde al patio, que si fuera... ¡eh!... Pero el otro día, qué cosas le dijimos allí en la plazuela de San Juan. Empeñado en que la otra compañía es la mejor, y que no hay quien la tosa. ¿Y saben ustedes *(Vuelve a sentarse.)* por qué es todo ello? Porque los domingos por la noche se van él y otros de su pelo a casa de la Ramírez, y allí se están retozando en el recibimiento con la criada; después les saca un poco de queso, o unos pimientos en vinagre, o así; y luego se van a palmotear como desesperados a las barandillas y al degolladero. [19] Pero no hay remedio; ya estamos prevenidos los apasionados de acá, y a la primera comedia que echen en el otro corral, zas, sin remisión, a silbidos se ha de hundir la casa. A ver...

DOÑA MARIQUITA

¿Y si ellos nos ganasen por la mano, y hacen con la de hoy otro tanto?

DOÑA AGUSTINA

Sí, te parecerá que tu hermano es lerdo y que ha trabajado poco estos días para que no le suceda un chasco. Él se ha hecho ya amigo de los principales apasionados del otro corral; ha estado con ellos; les ha recomendado la comedia, y les ha prometido que la primera que componga será para su compañía. Además de eso, la dama de allá le quiere mucho; él va todos los días a su casa a ver si se la ofrece algo, y cualquiera cosa que allí ocurre, nadie la hace sino mi marido. D. Eleuterio, tráigame usted un par de libras de manteca. D. Eleuterio, eche usted un poco de alpiste a ese cana-

---

19 División, de tablas y maderos, entre el patio y las lunetas principales. Así se llamaba por llegar a la altura de la gola o cuello de un hombre de pie que, cuando se le oprimía, corría el riesgo de degollarse.

rio. D. Eleuterio, dé usted una vuelta por la cocina y vea usted si empieza a espumar aquel puchero; y él, ya se ve, lo hace todo con una prontitud y un agrado, que no hay más que pedir; porque en fin el que necesita, es preciso que... Y por otra parte, como él, bendito sea Dios, tiene tal gracia para cualquier cosa, y es tan servicial con todo el mundo. ¡Qué silbar! No, hija, no hay que temer; a buenas aldabas se ha agarrado él para que le silben.

D. HERMÓGENES

Y sobre todo, el sobresaliente mérito del drama bastaría a imponer taciturnidad y admiración a la turba más desenfrenada e insipiente.

DOÑA AGUSTINA

Pues ya se ve. Figúrese usted una comedia heroica como ésta, con más de nueve lances que tiene. Un desafío a caballo por el patio, tres batallas, dos tempestades, un entierro, una función de máscara, un incendio de ciudad, un puente roto, dos ejercicios de fuego y un ajusticiado; figúrese usted si esto ha de gustar precisamente.

D. SERAPIO

¡Toma, si gustará!

D. HERMÓGENES

Aturdirá.

D. SERAPIO

Se despoblará Madrid por ir a verla.

DOÑA MARIQUITA

Y a mí me parece que unas comedias así debían representarse en la Plaza de los Toros.

ESCENA III

D. ELEUTERIO, DOÑA AGUSTINA, DOÑA MARIQUITA, D. SERAPIO, D. HERMÓGENES

DOÑA AGUSTINA

Y bien, ¿qué dice el librero? ¿Se despachan muchas?

D. ELEUTERIO

Hasta ahora...

DOÑA AGUSTINA

Deja; me parece que voy a acertar: habrá vendido...
¿Cuándo se pusieron los carteles?

D. ELEUTERIO

Ayer por la mañana. Tres o cuatro hice poner en cada
esquina.

D. SERAPIO

Ah, y cuide usted *(Levántase.)* que les pongan buen en-
grudo, porque si no...

D. ELEUTERIO

Sí, que no estoy en todo. Como que yo mismo le hice
con esa mira, y lleva una buena parte de cola.

DOÑA AGUSTINA

El *Diario* y la *Gaceta* la han anunciado ya, ¿es verdad?

D. HERMÓGENES

En términos precisos.

DOÑA AGUSTINA

Pues irán vendidos... Quinientos ejemplares.

D. SERAPIO

¡Qué friolera! Y más de ochocientos también.

DOÑA AGUSTINA

¿He acertado?

D. SERAPIO

¿Es verdad que pasan de ochocientos?

D. ELEUTERIO

No, señor, no es verdad. La verdad es que hasta ahora, según me acaban de decir, no se han despachado más que tres ejemplares; y esto me da malísima espina.

D. SERAPIO

¿Tres no más? Harto poco es.

DOÑA AGUSTINA

Por vida mía, que es bien poco.

D. HERMÓGENES

Distingo. Poco, absolutamente hablando, niego; respectivamente, concedo; porque nada hay que sea poco ni mucho *per se*, sino respectivamente. Y así, si los tres ejemplares vendidos constituyen una cantidad tercia, con relación a nueve, y bajo este respecto los dichos tres ejemplares se llaman poco, también estos mismos tres ejemplares, relativamente a uno, componen una triplicada cantidad, a la cual podemos llamar mucho, por la diferencia que va de uno a tres. De donde concluyo: que no es poco lo que se ha vendido, y que es falta de ilustración sostener lo contrario.

DOÑA AGUSTINA

Dice bien, muy bien.

D. SERAPIO

¡Qué! ¡si en poniéndose a hablar este hombre!

DOÑA MARIQUITA

Pues, en poniéndose a hablar probará que lo blanco es verde, y que dos y dos son veinte y cinco. Yo no entiendo tal modo de sacar cuentas... Pero, al cabo y al fin, las tres comedias que se han vendido hasta ahora, ¿serán más de tres?

D. ELEUTERIO

Es verdad, y en suma, todo el importe no pasará de seis reales.

DOÑA MARIQUITA

Pues, seis reales, cuando esperábamos montes de oro con la tal impresión. Ya voy yo viendo que si mi boda no se ha de hacer hasta que todos esos papelotes se despachen, me llevarán con palma a la sepultura. *(Llorando.)* ¡Pobrecita de mí!

D. HERMÓGENES

No así, hermosa Mariquita, desperdicie usted el tesoro de perlas que una y otra luz derrama.

DOÑA MARIQUITA

¡Perlas! Si yo supiera llorar perlas, no tendría mi hermano necesidad de escribir disparates.

ESCENA IV

D. ANTONIO, D. ELEUTERIO, D. HERMÓGENES, DOÑA AGUSTINA, DOÑA MARIQUITA

D. ANTONIO

A la orden de ustedes, señores.

D. ELEUTERIO

¿Pues cómo tan presto? ¿No dijo usted que iría a ver la comedia?

D. ANTONIO

En efecto, he ido. Allí queda D. Pedro.

D. ELEUTERIO

¿Aquel caballero de tan mal humor?

D. ANTONIO

El mismo. Que quieras que no, le he acomodado *(Sale Pipí por la puerta del foro con un canastillo de mante- les, cubiertos, etc., y le pone sobre el mostrador.)* en el palco de unos amigos. Yo creí tener luneta segura; ¡pero qué! ni luneta, ni palcos, ni tertulia, ni cubillos; no hay asiento en ninguna parte. [20]

DOÑA AGUSTINA

Si lo dije.

D. ANTONIO

Es mucha la gente que hay.

D. ELEUTERIO

Pues no, no es cosa de que usted se quede sin verla. Yo tengo palco. Véngase usted con nosotros, y todos nos acomodaremos.

DOÑA AGUSTINA

Sí, puede usted venir con toda satisfacción, caballero.

D. ANTONIO

Señora, doy a usted mil gracias por su atención; pero ya no es cosa de volver allá. Cuando yo salí se empe- zaba la primer tonadilla, conque...

---

[20] Luneta, butaca de patio; palco, como hoy, localidad inde- pendiente con balcón; tertulia, corredor en lo alto del teatro; cu- billo, aposento pequeño a cada lado de la embocadura.

D. SERAPIO

¿La tonadilla?

DOÑA MARIQUITA

¿Qué dice usted? *(Levántanse todos.)*

D. ELEUTERIO

¿La tonadilla?

DOÑA AGUSTINA

¿Pues cómo han empezado tan presto?

D. ANTONIO

No, señora, han empezado a la hora regular.

DOÑA AGUSTINA

No puede ser, si ahora serán...

D. HERMÓGENES

Yo lo diré. *(Saca el reloj.)* Las tres y media en punto.

DOÑA MARIQUITA

¡Hombre! ¿Qué tres y media? Su reloj de usted está siempre en las tres y media.

DOÑA AGUSTINA

A ver... *(Toma el reloj de Don Hermógenes, le aplica al oído, y se le vuelve.)* Si está parado.

D. HERMÓGENES

Es verdad. Esto consiste en que la elasticidad del muelle espiral...

DOÑA MARIQUITA

Consiste en que está parado, y nos ha hecho usted perder la mitad de la comedia. Vamos, hermana.

DOÑA AGUSTINA

Vamos.

D. ELEUTERIO

¡Cuidado que es cosa particular! Voto va sanes. La casualidad de...

DOÑA MARIQUITA

Vamos pronto. ¿Y mi abanico?

D. SERAPIO

Aquí está.

D. ANTONIO

Llegarán ustedes al segundo acto.

DOÑA MARIQUITA

Vaya, que este D. Hermógenes...

DOÑA AGUSTINA

Quede usted con Dios, caballero.

DOÑA MARIQUITA

Vamos aprisa.

D. ANTONIO

Vayan ustedes con Dios.

D. SERAPIO

A bien que cerca estamos.

D. ELEUTERIO

Cierto que ha sido chasco, estarnos así fiados en...

DOÑA MARIQUITA

Fiados en el maldito reloj de D. Hermógenes.

ESCENA V

D. ANTONIO, PIPÍ

D. ANTONIO

Conque estas dos son la hermana y la mujer del autor de la comedia?

PIPÍ

Sí, señor.

D. ANTONIO

¡Qué paso llevan! Ya se ve, se fiaron del reloj de D. Hermógenes.

PIPÍ

Pues yo no sé qué será; pero desde la ventana de arriba se ve salir mucha gente del coliseo.

D. ANTONIO

Serán los del patio, que estarán sofocados. Cuando yo me vine quedaban dando voces para que les abriesen las puertas. El calor es muy grande; y por otra parte, meter cuatro donde no caben más que dos es un despropósito; pero lo que importa es cobrar a la puerta, y más que revienten dentro.

ESCENA VI

D. PEDRO, D. ANTONIO, PIPÍ

D. ANTONIO

Calle! ¿Ya está usted por acá? Pues, y la comedia, ¿en qué estado queda?

D. PEDRO

Hombre, no me hable usted de comedia *(Siéntase.)* que no he tenido rato peor muchos meses ha.

D. ANTONIO

¿Pues qué ha sido ello? *(Sentándose junto a Don Pedro.)*

D. PEDRO

¿Qué ha de ser? Que he tenido que sufrir (gracias a la recomendación de usted) casi todo el primer acto, y por añadidura, una tonadilla insípida y desvergonzada, como es costumbre. Hallé la ocasión de escapar y la aproveché.

D. ANTONIO

¿Y qué tenemos en cuanto al mérito de la pieza?

D. PEDRO

Que cosa peor no se ha visto en el teatro desde que las musas de guardilla le abastecen... Si tengo hecho propósito firme de no ir jamás a ver esas tonterías. A mí no me divierten; al contrario me llenan de, de... No, señor, menos me enfada cualquiera de nuestras comedias antiguas, por malas que sean. Están desarregladas, tienen disparates; pero aquellos disparates y aquel desarreglo son hijos del ingenio, y no de la estupidez. Tienen defectos enormes, es verdad; pero entre estos defectos se hallan cosas que, por vida mía, tal vez suspenden y conmueven al espectador, en términos de hacerle olvidar o disculpar cuantos desaciertos han precedido. Ahora, compare usted nuestros autores adocenados del día con los antiguos, y dígame si no valen más Calderón, Solís, Rojas, Moreto cuando deliran que estotros cuando quieren hablar en razón.

D. ANTONIO

La cosa es tan clara, señor D. Pedro, que no hay nada que oponer a ella; pero, dígame usted, el pueblo, el

pobre pueblo, ¿sufre con paciencia ese espantable co-
medión?

D. PEDRO

No tanto como el autor quisiera, porque algunas veces
se ha levantado en el patio una mareta sorda que traía
visos de tempestad. En fin, se acabó el acto muy oportunamente; pero no me atreveré a pronosticar el éxito
de la tal pieza, porque, aunque el público está ya muy
acostumbrado a oír desatinos, tan garrafales como los
de hoy jamás se oyeron.

D. ANTONIO

¿Qué dice usted?

D. PEDRO

Es increíble. Allí no hay más que un hacinamiento confuso de especies, una acción informe, lances inverosí-
miles, episodios inconexos, caracteres mal expresados o
mal escogidos; en vez de artificio, embrollo; en vez
de situaciones cómicas, mamarrachadas de linterna má-
gica. No hay conocimiento de historia, ni de costumbres; no hay objeto moral, no hay lenguaje, ni estilo, ni
versificación, ni gusto, ni sentido común. En suma, es
tan mala y peor que las otras con que nos regalan todos
los días.

D. ANTONIO

Y no hay que esperar nada mejor. Mientras el teatro
siga en el abandono en que hoy está, en vez de ser el
espejo de la virtud y el templo del buen gusto, será la
escuela del error, y el almacén de las extravagancias.

D. PEDRO

¡Pero no es fatalidad que, después de tanto como se
ha escrito por los hombres más doctos de la nación
sobre la necesidad de su reforma, se han de ver todavía en nuestra escena espectáculos tan infelices! ¿Qué

pensarán de nuestra cultura los extranjeros que vean la comedia de esta tarde? ¿Qué dirán cuando lean las que se imprimen continuamente?

D. ANTONIO

Digan lo que quieran, amigo D. Pedro, ni usted ni yo podemos remediarlo. ¿Y qué haremos? reír o rabiar: no hay otra alternativa... Pues yo, más quiero reír que impacientarme.

D. PEDRO

Yo no, porque no tengo serenidad para eso. Los progresos de la literatura, señor D. Antonio, interesan mucho al poder, a la gloria y a la conservación de los imperios; el teatro influye inmediatamente en la cultura nacional; el nuestro está perdido, y yo soy muy español.

D. ANTONIO

Con todo, cuando se ve que... Pero ¿qué novedad es ésta?

ESCENA VII

D. SERAPIO, D. HERMÓGENES, D. PEDRO, D. ANTONIO, PIPÍ

D. SERAPIO

Pipí, muchacho. Corriendo, por Dios, un poco de agua.

D. ANTONIO

¿Qué ha sucedido?
(Se levantan D. Antonio y D. Pedro.)

D. SERAPIO

No te pares en enjuagatorios. Aprisa.

PIPÍ

Voy, voy allá.

D. SERAPIO

Despáchate.

PIPÍ

¡Por vida del hombre! *(Pipí va detrás de D. Serapio con un vaso de agua. D. Hermógenes, que sale apresurado, tropieza con él, y deja caer el vaso y el plato.)* ¿Por qué no mira usted?

D. HERMÓGENES

¿No hay alguno de ustedes que tenga por ahí un poco de agua de melisa, elixir, extracto, aroma, álcali volátil, éter vitriólico, o cualquiera quintaesencia antiespasmódica, para entonar el sistema nervioso de una dama exánime?

D. ANTONIO

Yo no, no traigo.

D. PEDRO

¿Pero qué ha sido? ¿Es accidente?

ESCENA VIII

DOÑA AGUSTINA, DOÑA MARIQUITA, D. ELEUTERIO, D. HERMÓGENES, D. SERAPIO, D. PEDRO, D. ANTONIO, PIPÍ

D. ELEUTERIO

Sí, es mucho mejor hacer lo que dice D. Serapio. *(Doña Agustina muy acongojada, sostenida por D. Eleuterio y D. Serapio. La hacen que se siente. Pipí trae otro vaso de agua, y ella bebe un poco.)*

D. SERAPIO

Pues, ya se ve. Anda, Pipí, en tu cama podrá descansar esta señora...

PIPÍ

¡Qué! si está en un camarachón que...

D. ELEUTERIO

No importa.

PIPÍ

¡La cama! la cama es un jergón de arpillera y...

D. SERAPIO

¿Qué quiere decir eso?

D. ELEUTERIO

No importa nada. Allí estará un rato, y veremos si es cosa de llamar a un sangrador.

PIPÍ

Yo, bien. Si ustedes...

DOÑA AGUSTINA

No, no es menester.

DOÑA MARIQUITA

¿Se siente usted mejor, hermana?

D. ELEUTERIO

¿Te vas aliviando?

DOÑA AGUSTINA

Alguna cosa.

D. SERAPIO

¡Ya se ve! el lance no era para menos.

D . ANTONIO

¿Pero se podrá saber qué especie de insulto [21] ha sido éste?

D . ELEUTERIO

¿Qué ha de ser, señor, qué ha de ser? Que hay gente envidiosa y mal intencionada que... ¡Vaya! No me hable usted de eso, porque... ¡Picarones! ¿Cuándo han visto ellos comedia mejor?

D . PEDRO

No acabo de comprender.

DOÑA MARIQUITA

Señor, la cosa es bien sencilla. El señor es hermano mío, marido de esta señora, y autor de esa maldita comedia que han echado hoy. Hemos ido a verla; cuando llegamos estaban ya en el segundo acto. Allí había una tempestad, y luego un consejo de guerra, y luego un baile, y después un entierro... En fin, ello es que al cabo de esta tremolina, salía la dama con un chiquillo de la mano, y ella y el chico rabiaban de hambre; el muchacho decía: "Madre, déme usted pan", y la madre invocaba a Demogorgón [22] y al Cancerbero. [23] Al llegar nosotros se empezaba este lance de madre e hijo... El patio estaba tremendo. ¡Qué oleadas! ¡qué toser! ¡qué estornudos! ¡qué bostezar! ¡qué ruido confuso por todas partes!... Pues, señor, como digo: salió la dama, y apenas hubo dicho que no había comido en seis días, y apenas el chico empezó a pe-

---

[21]   Accidente, en el sentido de indisposición que repentinamente priva de sentido o de movimiento; o sea, desmayo.

[22]   En la mitología griega, un genio de la Tierra que vivía en el centro del planeta acompañado sólo del Caos y la Eternidad. Se le suponía un experto mago que podía dominar los fantasmas y los espíritus del aire. En la Arcadia estaba prohibido pronunciar su nombre.

[23]   En la mitología griega, el perro de tres cabezas que guardaba la puerta del infierno.

dirla pan, y ella a decirle que no le tenía, cuando para servir a ustedes, la gente (que a la cuenta estaba ya hostigada de la tempestad, del consejo de guerra, del baile y del entierro) comenzó de nuevo a alborotarse. El ruido se aumenta; suenan bramidos por un lado y por otro, y empieza tal descarga de palmadas huecas y tal golpeo en los bancos y barandillas, que no parecía sino que toda la casa se venía al suelo. Corrieron el telón, abrieron las puertas, salió renegando toda la gente, a mi hermana se la oprimió el corazón, de manera que... En fin, ya está mejor, que es lo principal. Aquello no ha sido ni oído ni visto; en un instante entrar en el palco y suceder lo que acabo de contar, todo ha sido a un tiempo. ¡Válgame Dios! ¡en lo que han venido a parar tantos proyectos! Bien decía yo que era imposible que...

(Siéntase junto a Doña Agustina.)

D. ELEUTERIO

¡Y que no ha de haber justicia para esto! D. Hermógenes, amigo D. Hermógenes, usted bien sabe lo que es la pieza; informe usted a estos señores... Tome usted: *(Saca la comedia, y se la da a D. Hermógenes.)* léales usted todo el segundo acto, y que me digan si una mujer que no ha comido en seis días tiene razón de morirse, y si es mal parecido que un chico de cuatro años pida pan a su madre. Lea usted, lea usted, y que me digan si hay conciencia ni ley de Dios para haberme asesinado de esta manera.

D. HERMÓGENES

Yo, por ahora, amigo D. Eleuterio, no puedo encargarme de la lectura del drama. *(Deja la comedia sobre una mesa. Pipí la toma, se sienta en una silla distante y lee.)* Estoy de prisa. Nos veremos otro día, y...

D. ELEUTERIO

¿Se va usted?

DOÑA MARIQUITA

¿Nos deja usted así?

D. HERMÓGENES

Si en algo pudiera contribuir con mi presencia al alivio de ustedes, no me movería de aquí; pero...

DOÑA MARIQUITA

No se vaya usted.

D. HERMÓGENES

Me es muy doloroso asistir a tan acerbo espectáculo; tengo que hacer. En cuanto a la comedia, nada hay que decir; murió, y es imposible que resucite, bien que ahora estoy escribiendo una apología del teatro y la citaré con elogio. Diré que hay otras peores; diré que si no guarda reglas ni conexión, consiste en que el autor era un grande hombre; callaré sus defectos...

D. ELEUTERIO

¿Qué defectos?

D. HERMÓGENES

Algunos que tiene.

D. PEDRO

Pues no decía usted eso poco tiempo ha.

D. HERMÓGENES

Fue para animarle.

D. PEDRO

Y para engañarle y perderle. Si usted conocía que era mala, ¿por qué no se lo dijo? ¿Por qué, en vez de aconsejarle que desistiera de escribir chapucerías, ponderaba usted el ingenio del autor, y le persuadía que era excelente una obra tan ridícula y despreciable?

D. HERMÓGENES

Porque el señor carece de criterio y sindéresis para comprender la solidez de mis raciocinios, si por ellos intentara persuadirle que la comedia es mala.

DOÑA AGUSTINA

¿Conque es mala?

D. HERMÓGENES

Malísima.

D. ELEUTERIO

¿Qué dice usted?

DOÑA AGUSTINA

Usted se chancea, D. Hermógenes; no puede ser otra cosa.

D. PEDRO

No, señora, no se chancea; en eso dice la verdad. La comedia es detestable.

DOÑA AGUSTINA

Poco a poco con eso, caballero, que una cosa es que el señor lo diga por gana de fiesta, y otra que usted nos lo venga a repetir de ese modo. Usted será de los eruditos que de todo blasfeman, y nada les parece bien sino lo que ellos hacen; pero...

D. PEDRO

Si usted es marido de esa *(A D. Eleuterio.)* señora, hágala usted callar; porque aunque no puede ofenderme cuanto diga, es cosa ridícula que se meta a hablar de lo que no entiende.

DOÑA AGUSTINA

¿No entiendo? ¿Quién le ha dicho a usted que...?

D. ELEUTERIO

Por Dios, Agustina, no te desazones. Ya ves *(se levanta colérica, y D. Eleuterio la hace sentar.)* cómo estás... ¡Válgame Dios, señor! Pero, amigo *(A D. Hermógenes)*, no sé qué pensar de usted.

D. HERMÓGENES

Piense usted lo que quiera. Yo pienso de su obra lo que ha pensado el público; pero soy su amigo de usted, y aunque vaticiné el éxito infausto que ha tenido, no quise anticiparle una pesadumbre, porque como dice Platón, y el Abate Lampillas...

D. ELEUTERIO

Digan lo que quieran. Lo que yo digo es que usted me ha engañado como un chino. Si yo me aconsejaba con usted, si usted ha visto la obra lance por lance y verso por verso, si usted me ha exhortado a concluir las otras que tengo manuscritas, si usted me ha llenado de elogios y de esperanzas; si me ha hecho usted creer que yo era un grande hombre, ¿cómo me dice usted ahora eso? ¿Cómo ha tenido usted corazón para exponerme a los silbidos, al palmoteo, y a la zumba de esta tarde?

D. HERMÓGENES

Usted es pacato y pusilánime en demasía... ¿Por qué no le anima a usted el ejemplo? ¿No ve usted esos autores que componen para el teatro, con cuánta imperturbabilidad toleran los vaivenes de la fortuna? Escriben, los silban, y vuelven a escribir; vuelven a silbarlos, y vuelven a escribir... ¡Oh, almas grandes, para quienes los chiflidos son arrullos y las maldiciones alabanzas!

DOÑA MARIQUITA

¿Y qué quiere usted *(Levántase.)* decir con eso? Ya no tengo paciencia para callar más. ¿Qué quiere usted decir? ¿Que mi pobre hermano vuelva otra vez...?

D. HERMÓGENES

Lo que quiero decir es que estoy de prisa y me voy.

DOÑA AGUSTINA

Vaya usted con Dios, y haga usted cuenta que no nos ha conocido. ¡Picardía! No sé como *(Se levanta muy enojada, encaminándose hacia D. Hermógenes, que se va retirando de ella.)* no me tiro a él... Váyase usted.

D. HERMÓGENES

¡Gente ignorante!

DOÑA AGUSTINA

Váyase usted.

D. ELEUTERIO

¡Picarón!

D. HERMÓGENES

¡Canalla infeliz!

ESCENA IX

D. ELEUTERIO, D. SERAPIO, D. ANTONIO, D. PEDRO, DOÑA AGUSTINA, DOÑA MARIQUITA, PIPÍ

D. ELEUTERIO

Ingrato! ¡embustero! Después *(Se sienta con ademanes de abatimiento.)* de lo que hemos hecho por él.

DOÑA MARIQUITA

Ya ve usted, hermana, lo que ha venido a resultar. Si lo dije, si me lo daba el corazón... Mire usted qué hombre: después de haberme traído en palabras tanto tiempo, y lo que es peor, haber perdido por él la conveniencia de casarme con el boticario, que a lo menos es hombre de bien, y no sabe latín, ni se mete en citar autores como ese bribón... ¡Pobre de mí! con diez y seis años que tengo, y todavía estoy sin colocar, por el maldito empeño de ustedes de que me había de casar con un erudito que supiera mucho... Mire usted lo que sabe el renegado (Dios me perdone): quitarme mi acomodo, engañar a mi hermano, perderle, y hartarnos de pesadumbres.

D. ANTONIO

No se desconsuele usted, señorita, que todo se compondrá. Usted tiene mérito, y no la faltarán proporciones mucho mejores que las que ha perdido.

DOÑA AGUSTINA

Es menester que tengas un poco de paciencia, Mariquita.

D. ELEUTERIO

La paciencia *(Se levanta con viveza.)* la necesito yo, que estoy desesperado de ver lo que me sucede.

DOÑA AGUSTINA

Pero, hombre, ¿qué no has de reflexionar...?

D. ELEUTERIO

Calla, mujer; calla por Dios, que tú también...

D. SERAPIO

No señor, el mal ha estado en que nosotros no lo advertimos con tiempo... Pero yo le aseguro al guarnicionero y a sus camaradas que si llegamos a pillarlos, solfeo de mojicones como el que han de llevar no le... La comedia es buena, señor, créame usted a mí; la comedia es buena. Ahí no ha habido más sino que los de allá se han unido y...

D. ELEUTERIO

Yo ya estoy en que la comedia no es tan mala, y que hay muchos partidos; pero lo que a mí...

D. PEDRO

¿Todavía está usted en esa equivocación?

D. ANTONIO

(*Aparte, a D. Pedro.* Déjele usted.)

D. PEDRO

No quiero dejarle; me da compasión... Y sobre todo, es demasiada necedad después de lo que ha sucedido, que todavía esté creyendo el señor que su obra es buena. ¿Por qué ha de serlo? ¿Qué motivos tiene usted para acertar? ¿Qué ha estudiado usted? ¿Quién le ha enseñado el arte? ¿Qué modelos se ha propuesto usted para la imitación? ¿No ve usted que en todas las facultades hay un método de enseñanza y unas reglas que seguir y observar; que a ellas debe acompañar una aplicación constante y laboriosa, y que sin estas circunstancias, unidas al talento, nunca se formarán grandes profesores, porque nadie sabe sin aprender? ¿Pues por dónde usted, que carece de tales requisitos, presume que habrá podido hacer algo bueno? ¿Qué? ¿No hay más sino meterse a escribir, a salga lo que salga, y en ocho días zurcir un embrollo, ponerle en malos versos, darle al teatro, y ya soy autor? ¿Qué, no hay más que escribir comedias? Si han de ser como la de usted o como las demás que se la parecen, poco talento, poco estudio y poco tiempo son necesarios; pero si han de ser buenas (créame usted) se necesita toda la vida de un hombre, un ingenio muy sobresaliente, un estudio infatigable, observación continua, sensibilidad, juicio exquisito, y todavía no hay seguridad de llegar a la perfección.

D. ELEUTERIO

Bien está señor. Será todo lo que usted dice, pero ahora no se trata de eso. Si me desespero y me confundo, es por ver que todo se me descompone, que he perdido mi tiempo, que la comedia no me vale un cuarto, que he gastado en la impresión lo que no tenía...

D. ANTONIO

No, la impresión con el tiempo se venderá.

D. PEDRO

No se venderá, no señor. El público no compra en la librería las piezas que silba en el teatro. No se venderá.

D. ELEUTERIO

Pues, vea usted, no se venderá, y pierdo ese dinero, y por otra parte... ¡Válgame Dios! Yo, señor, seré lo que ustedes quieran: seré mal poeta, seré un zopenco; pero soy hombre de bien. Ese picarón de D. Hermógenes me ha estafado cuanto tenía para pagar sus trampas y sus embrollos, me ha metido en nuevos gastos, y me deja imposibilitado de cumplir, como es regular, con los muchos acreedores que tengo.

D. PEDRO

Pero ahí no hay más que hacerles una obligación de irlos pagando poco a poco, según el empleo o facultad que usted tenga, y arreglándose a una buena economía.

DOÑA AGUSTINA

¡Qué empleo ni qué facultad, señor! Si el pobrecito no tiene ninguna.

D. PEDRO

¿Ninguna?

D. ELEUTERIO

No, señor. Yo estuve en esa lotería de ahí arriba; después me puse a servir a un caballero indiano, pero se murió; lo dejé todo, y me metí a escribir comedias, porque ese D. Hermógenes me engatusó y...

DOÑA MARIQUITA

¡Maldito sea él!

D. ELEUTERIO

Y si fuera decir estoy solo, anda con Dios; pero casado, y con una hermana, y con aquellas criaturas...

D. ANTONIO

¿Cuántas tiene usted?

D. ELEUTERIO

Cuatro, señor, que el mayorcito no pasa de cinco años.

D. PEDRO

¡Hijos tiene! (*Aparte, con ternura.* ¡Qué lástima!)

D. ELEUTERIO

Pues si no fuera por eso...

D. PEDRO

(*Aparte.* ¡Infeliz!) Yo, amigo, ignoraba que del éxito de la obra de usted pendiera la suerte de esa pobre familia. Yo también he tenido hijos. Ya no los tengo; pero sé lo que es el corazón de un padre. Dígame usted: ¿sabe usted contar? ¿Escribe usted bien?

D. ELEUTERIO

Sí, señor, lo que es así cosa de cuentas, me parece que sé bastante. En casa de mi amo... Porque yo, señor, he sido paje... Allí, como digo, no había más mayordomo

que yo. Yo era el que gobernaba la casa, como, ya se
ve, estos señores no entienden de eso. Y siempre me
porté como todo el mundo sabe. Eso sí, lo que es hon-
radez y... ¡vaya! Ninguno ha tenido que...

D. PEDRO

Lo creo muy bien.

D. ELEUTERIO

En cuanto a escribir, yo aprendí en los Escolapios, y
luego me he soltado bastante, y sé alguna cosa de
ortografía... Aquí tengo... Vea usted... (Saca un papel
y se le da a D. Pedro.) Ello está escrito algo de prisa,
porque ésta es una tonadilla que se había de cantar
mañana... ¡Ay, Dios mío!

D. PEDRO

Me gusta la letra, me gusta.

D. ELEUTERIO

Sí, señor, tiene su introduccioncita, luego entran las
coplillas satíricas con su estribillo, y concluye con las...

D. PEDRO

No hablo de eso, hombre, no hablo de eso. Quiero
decir que la forma de la letra es muy buena. La tonadilla, ya se conoce que es prima hermana de la comedia.

D. ELEUTERIO

Ya.

D. PEDRO

Es menester que se deje usted de esas tonterías.
(Volviéndole el papel.)

D. ELEUTERIO

Ya lo veo, señor; pero si parece que el enemigo...

D. PEDRO

Es menester olvidar absolutamente esos devaneos; ésta es una condición que exijo de usted. Yo soy rico, muy rico, y no acompaño con lágrimas estériles las desgracias de mis semejantes. La mala fortuna a que le han reducido a usted sus desvaríos necesita, más que consuelos y reflexiones, socorros efectivos y prontos. Mañana quedarán pagadas por mí todas las deudas que usted tenga.

D. ELEUTERIO

¿Señor, qué dice usted?

DOÑA AGUSTINA

¿De veras, señor? ¡Válgame Dios!

DOÑA MARIQUITA

¿De veras?

D. PEDRO

Quiero hacer más. Yo tengo bastantes haciendas cerca de Madrid; acabo de colocar a un mozo de mérito que entendía en el gobierno de ellas. Usted si quiere podrá irse instruyendo al lado de mi mayordomo, que es hombre honradísimo, y desde luego puede usted contar con una fortuna proporcionada a sus necesidades. Esta señora deberá contribuir, por su parte, a hacer feliz el nuevo destino que a usted le propongo. Si cuida de su casa, si cría bien a sus hijos, si desempeña como debe los oficios de esposa y madre, conocerá que sabe cuanto hay que saber, y cuanto conviene a una mujer de su estado y sus obligaciones. Usted, señorita, no ha perdido nada en no casarse con el pedantón de D. Hermógenes; porque según se ha visto, es un malvado que la hubiera hecho infeliz; y si usted disimula un poco las ganas que tiene de casarse no dudo que hallará muy presto un hombre de bien que la quiera. En una palabra, yo haré en favor de ustedes todo el bien que pueda; no hay que dudarlo. Además, yo tengo muy buenos amigos en la corte y... Créanme ustedes, soy algo áspero en mi carácter, pero tengo el corazón muy compasivo.

DOÑA MARIQUITA

¡Qué bondad!

(D. Eleuterio, su mujer y su hermana quieren arrodillarse a los pies de D. Pedro; él lo estorba, y los abraza cariñosamente.)

D. ELEUTERIO

¡Qué generoso!

D. PEDRO

Esto es ser justo. El que socorre la pobreza, evitando a un infeliz la desesperación y los delitos, cumple con su obligación; no hace más.

D. ELEUTERIO

Yo no sé cómo he de pagar a usted tantos beneficios.

D. PEDRO

Si usted me los agradece, ya me los paga.

D. ELEUTERIO

Perdone usted, señor, las locuras que he dicho y el mal modo...

DOÑA AGUSTINA

Hemos sido muy imprudentes.

D. PEDRO

No hablemos de eso.

D. ANTONIO

¡Ah, D. Pedro! ¡qué lección me ha dado usted esta tarde!

D. PEDRO

Usted se burla. Cualquiera hubiera hecho lo mismo en iguales circunstancias.

D. ANTONIO

Su carácter de usted me confunde.

D. PEDRO

¡Eh! los genios serán diferentes, pero somos muy amigos. ¿No es verdad?

D. ANTONIO

¿Quién no querrá ser amigo de usted?

D. SERAPIO

Vaya, vaya, yo estoy loco de contento.

D. PEDRO

Más lo estoy yo; porque no hay placer comparable al que resulta de una acción virtuosa. Recoja usted esa comedia *(Al ver la comedia que está leyendo Pipí.)*, no se quede por ahí perdida y sirva de pasatiempo a la gente burlona que llegue a verla.

D. ELEUTERIO

¡Mal haya la comedia *(Arrebata la comedia de manos de Pipí, y la hace pedazos.)*, amén, y mi docilidad y mi tontería! Mañana, así que amanezca, hago una hoguera con todo cuanto tengo, impreso y manuscrito, y no ha de quedar en mi casa un verso.

DOÑA MARIQUITA

Yo encenderé la pajuela.

DOÑA AGUSTINA

Y yo aventaré las cenizas.

D. PEDRO

Así debe ser. Usted, amigo, ha vivido engañado; su amor propio, la necesidad, el ejemplo y la falta de instrucción, le han hecho escribir disparates. El público le ha dado a usted una lección muy dura, pero muy útil, puesto que por ella se reconoce y se enmienda. Ojalá los que hoy tiranizan y corrompen el teatro por el maldito furor de ser autores, ya que desatinan como usted, le imitaran en desengañarse.

FIN

EL SÍ DE LAS NIÑAS

Edición,
estudio y notas
de
RENÉ ANDIOC

ESTUDIO SOBRE

EL SÍ DE LAS NIÑAS

A raíz del estreno de *El sí de las niñas*, varios papeles difundieron la voz de que se trataba de un
mero plagio: unos afirmaban que Moratín se había con-
tentado con publicar una comedia inédita de su padre,
y en efecto, el literato Napoli Signorelli, amigo de los
dos Moratines, escribe que don Nicolás dejó manuscrita *El ridículo D. Sancho*, cuyo paradero no conocemos.
Otros decían que se había inspirado excesivamente en
una obra francesa *L'oui des couvents (El sí de los conventos)*, pero el mismo título mueve a poner en tela de
juicio la exactitud y el valor de esta última acusación;
por otra parte, no hemos podido dar con este supuesto
modelo. Otros por fin, pretendían demostrar que varias
escenas de la comedia moratiniana se habían copiado
al pie de la letra de una piececita en un acto de Marsollier, *Le traité nul*. [1]

Dicha "comédie en un acte, mêlée d'ariettes", representada en París en junio de 1797, fue en efecto traducida libremente durante el primer semestre de 1802
por Mirtilo Sicuritano, seudónimo de Nicolás Tap y
Núñez de Rendón: el manuscrito destinado a la imprenta y aprobado por el Gobernador del Consejo, conde

---

[1] *Memorial Literario*, 30 marzo 1806, art. de El defensor del
mérito, p. 43, y *Minerva o el Revisor General*, 16 mayo 1806, "Carta
segunda de Don E. P. a su amigo...", p. 153 sig.

de Isla, lleva la fecha del 25 de mayo [1 bis] y fue publicado el mismo año de 1802 por el librero Quiroga. En la traducción española, la escena es en un lugar de las cercanías de Pastrana, y "la acción dura el mismo tiempo que se gasta en representarla". Una labradora viuda, Tomasa, trata de casar a su hija con el rico —y viejo— Alonso, quien consiente en no exigir la dote y firma con la madre un contrato por el que cada uno se compromete a entregar al otro dos mil pesos de indemnización en caso de negarse a cumplir la promesa de matrimonio. De este contrato dependen las actitudes ulteriores de los dos viejos: el sobrino de don Alonso, Fernando, quiere a la joven Mariquita, con quien se ha de casar su tío, y éste, enterado de sus amores, trata de ayudar a Fernando, pero sin perder sus dos mil pesos, es decir, sin renunciar *públicamente* a su novia; disimula su verdadera intención proclamando la necesidad de dejar a Mariquita su libertad de elección, con la secreta esperanza de que la niña confiese su amor a Fernando. Pero aconsejada por la astuta Tomasa, la novia finge preferir al viejo pretendiente. Por fin, la joven pareja intenta huir de casa y los padres, mejor dicho, Tomasa y Alonso, determinan rasgar el contrato, renunciando a los dos mil pesos, a cambio de la dicha de los amantes.

Como se ve, el problema de la libre determinación de la mujer en asuntos matrimoniales no se plantea en esta comedia de manera tan rotunda como en *El sí de las niñas*. Por supuesto, el desenlace y la andadura general de la intriga suponen un prejuicio desfavorable a los casamientos desiguales; la criada Colasa —*vox pópuli*—, censura a los viejos "amigos... de casarse con muchachas para que les sirvamos de enfermeras"; [2]

[1 bis] Biblioteca Nacional, Madrid, ms. 15939.
[2] Esc. 6; sigue una frase, borrada no sabemos si por el autor o el censor:
"Rabian [los viejos] por dar retoños, y no ven que el candil sin aceite se acaba más pronto cuando le atizan mucho".

bien sabe Mariquita que el gusto de su madre "debe ser siempre el sepulcro de *su* voluntad". Pero la obrita de Mirtilo Sicuritano es mucho más ligera que la comedia de Moratín; para emplear una fórmula muy preciada de los discípulos españoles de Horacio y Boileau, el propósito del autor es más deleitar que enseñar, como lo prueba además la relativa importancia del elemento musical.

Los parecidos existen sin embargo indudablemente; prescindiendo de ciertas frases cuya semejanza puede ser casual, y explicarse sencillamente por la de las situaciones, citemos dos o tres procedimientos que llaman particularmente la atención.

En la escena 7, el siguiente fragmento de diálogo:

"*Colasa.* Yo apuesto a que vendrá (*Fernando*), y muy pronto...
Mariquita, acercándosele. Querida Colasa...
Colasa. Y a que ha venido también".

La escena 9 del primer acto de *El sí de las niñas* contiene un pasaje basado en el mismo método. Hablando del joven D. Carlos, a quien se cree ausente de Alcalá, dice la criada Rita:

"No señora, no ha dicho eso.

Dña. Francisca

¿Qué sabes tú?

Rita

Bien lo sé. Apenas haya leído la carta se habrá puesto en camino y vendrá volando a consolar a su amiga...
(...)
Señorita, lo que le he dicho a usted es la pura verdad. Don Félix está ya en Alcalá".

Al enterarse de que su competidor es su propio tío, Fernando exclama ante él:

"¡Yo, burlar a un amado tío! ¡ah! no lo permita el cielo... me mataré".[3]

El don Carlos moratiniano, deseoso de no estorbar la boda de D. Diego, le manifiesta su deseo de irse a la guerra que, según dicen, está próxima a estallar; y la "larga ausencia" a la que alude no puede ser sino la muerte.

En la comedia francesa original, Dulis (Fernando) canta frente a la ventana de Pauline (Mariquita) para avisarla y entablar con ella un diálogo. Aunque se trata, según los contemporáneos de Moratín, de un lance muy conocido, tiene una importancia capital en el acto III de *El sí de las niñas*.

Pero ¿en cuál de las dos obras se pudo inspirar Moratín? ¿En la original, o en su traducción? Por el diario de don Leandro nos enteramos de que su última comedia estaba ya concluida a mediados de 1801, ya que la lee ante sus amigos el día 12 de julio. Por lo tanto, es anterior a la publicación de Mirtilo Sicuritano, y sólo queda la posibilidad de una influencia directa de la comedia francesa. No se olvide sin embargo que entre 1801 y finales de 1805, fecha de la edición príncipe de *El sí de las niñas*, median más de cuatro años, y que el autor bien pudo modificar el texto primitivo a partir de 1802, después de leer el arreglo español. Desgraciadamente, hasta ahora no ha parecido ningún manuscrito de la obra maestra de Inarco.[4]

Otra comedia extranjera parece haber tenido mayor influencia en la elaboración de *El sí de las niñas*: *L'école des mères*, en un acto, de Marivaux, ya traducida y abreviada por Ramón de la Cruz en su sainete *El viejo burlado*. El primero en advertirlo fue Ismael Sánchez Estevan, en su libro *Mariano José de Larra* (1934) y J. F. Gatti comparó minuciosamente las dos obras en su artículo "Moratín y Marivaux" (*Rev. de Fil. Hispánica*,

___

[3] Esc. 17.
[4] En el catálogo publicado a continuación de sus *Orígenes del teatro español* en 1830 (*B. A. E.*, II, p. 333), Moratín coloca *El contrato anulado* entre las anónimas. ¿Prudencia o sinceridad?

abril de 1941, n.º 2, p. 140 ss.); tienen el mismo esquema argumental: Madame Argante ha educado a su hija Angélique con mucha severidad, enseñándole una estricta obediencia (recuérdese que la Agnès de *L'école des femmes* de Molière, es hija de una difunta Angélique). La niña quiere a Eraste, pero tiene que casarse con Mr. Damis, padre del joven. Damis acaba por conocer la identidad de su competidor, y aconseja a Madame Argante que consienta en casar a los dos amantes. La Biblioteca Municipal de Madrid custodia un ejemplar anónimo, impreso en Barcelona por Gibert y Tutó, [5] de la traducción que se hizo de la obra de Marivaux en la época en que varios escritores ilustrados, Olavide, Iriarte, Jovellanos y otros, trataban de constituir bajo la dirección de Clavijo y Fajardo un teatro de gusto clásico en los Sitios Reales, a base de traducciones. El librito lleva en efecto una aprobación oficial manuscrita fechada en septiembre de 1779, es decir, unos tres años escasos después del encarcelamiento de Olavide. Es muy probable que D. Leandro conociese a Marivaux a través de esta traducción.

Por fin, la admiración del mal llamado "Molière español" por el autor de *L'avare* es sobradamente conocida para que dediquemos a la influencia del gran comediógrafo francés más que una breve alusión; por lo demás, varios críticos la han estudiado detenidamente, entre ellos F. Vézinet en *Molière, Florian et la littérature espagnole*. [6] Pero no incurramos en el error formalista —e inconscientemente patriotero— de este autor, quien llega a lamentar que Inarco no haya sabido pintar caracteres distintos de los de Molière, o adaptarlos a su época y a su país...

Hasta aquí, las posibles o evidentes fuentes extranjeras. Pero *El sí de las niñas* tiene también antecedentes en la literatura española; la comedia más comúnmente citada es la de Rojas Zorrilla, *Entre bobos anda el*

---

[5] 1-108-14. ¿Será la de Olavide?
[6] París, 1909, estudio intitulado "Moratín et Molière".

juego: en ella la joven Isabel de Peralta va a contraer matrimonio con un anciano rico llamado don Lucas. El novio espera a la niña en una venta donde acaban por reunirse todos los protagonistas. Isabel quiere a don Pedro, primo de don Lucas; los amantes se citan en medio de la obscuridad, como en *La escuela de las madres*, dando lugar a una comicidad más bien propia de la farsa. Lucas se venga desheredando a su primo, pero éste obtiene la mano de Isabel. Algunas semejanzas estructurales, por lo tanto, pero la tonalidad es muy distinta. La novela corta y el teatro del siglo de oro han desarrollado también el tema de la rivalidad amorosa entre un joven y un viejo, o el del casamiento desigual y sus consecuencias. Dudamos empero de la utilidad de una investigación más detenida en esta dirección. Más interesante a nuestro parecer es la frecuencia con que el tema de *El sí de las niñas* es llevado a las tablas a finales del siglo XVIII, no sólo por el propio Moratín, sino por los demás dramaturgos contemporáneos. El redactor de la *Carta crítica de un vecino de Guadalaxara* habla de la "*manía* que el autor tiene en criticar semejantes casamientos"; [7] en efecto, su primera obra, *El viejo y la niña*, plantea ya el problema de la libre determinación de las jóvenes y de los límites de la autoridad paterna. *El barón, La mogigata* tratan asuntos análogos y aun se puede decir que no está del todo ausente en *La comedia nueva,* puesto que la elección de doña Mariquita parece haber sido ya que no impuesta, por lo menos sugerida por las circunstancias.

Ahora bien, Juan Antonio Melón, biógrafo de Moratín, cuenta como ya dijimos que éste, siendo aún muchacho, se enamoró de Sabina Conti, hija del conde Tullio Antonio Conti y de Isabella Bernascone, de la familia de Ignazio Bernascone, amigo de Moratín padre. Hacia 1780 [8] la tal Sabina se casó con su primo her-

        [7]   B. N. M., ms. 9274, p. 48.
        [8]   "Verso il 1780", escribe Vittorio Cian en su libro *Italia e Spagna nel secolo XVIII*, Torino, 1896, p. 11.

mano de unos cuarenta años de edad, el escritor Giambattista Conti, a la sazón residente en Madrid y también amigo del padre de nuestro dramaturgo. Joaquín de Entrambasaguas[9] cree que las relaciones de don Leandro con la joven italiana no se pueden reducir, como quiere darlo a entender Melón, a un "intrascendente enamoramiento infantil". Y en efecto, del texto de don Juan Antonio se infiere que la redacción de *El viejo y la niña* fue posterior a la fecha de la boda de Conti; por otra parte, la heroína de esta comedia se llama *Isabel,* lo cual parece anagrama prudentemente imperfecto de *Sabina*; en un fragmento de la traducción de *La tiranía doméstica* de Napoli Signorelli hecha por don Leandro en 1796, la Rachele del original se convierte también en Isabel.[10] ¿Coincidencia? Por otra parte, añade Melón:[11]

"cuando hacía *El viejo y la niña,* nos enseñaba (Moratín) a Estala y a mí cartas de una señorita que le quería y a quien él llamaba Lícoris: yo me empeñé en saber quien era, y creo que lo conseguí, aunque él nunca lo quiso confesar.

"Esta señorita se casó con un viejo; y a don Leandro le sucedió aquella escena de *El viejo y la niña,* en que dice el viejo:

> Entro y la encuentro poniendo
> Unas cintas a mi bata
> Y a él entretenido en ver
> Las pinturas y los mapas".

El silencio de Moratín, quien por otra parte enseñaba las cartas de su amante a sus confidentes, deja sospechar que no se trataba de una mujer cualquiera y que la

[9] *El Madrid de Moratín,* M., 1960, p. 20.
[10] A. Mariutti de Sánchez Rivero, "Un ejemplo de intercambio cultural hispanoitaliano en el siglo XVIII: Leandro Fernández de Moratín y Pietro Napoli Sigmorelli" (sic), en *Rev. de la Univ. de Madrid,* 1960, núm. 35, p. 769.
[11] *Op. cit.,* p. 386.

conocerían indudablemente sus amigos. El año de 1781 se publicó la *Década epistolar* del duque de Almodóvar, en la que se alude a una ópera, *Mirtilo y Lícoris*, representada entonces en París; [12] sabido es que Mirtilo fue el primer seudónimo bucólico de Moratín. ¿Existe verdaderamente una relación entre esta obra y los seudónimos de don Leandro y su amiga? Si fuese cierto, de la identidad de las fechas se podría inferir, no sin prudencia, la de Sabina y Lícoris. De todas formas, si don Leandro tuvo bastante atrevimiento para citarse con una casada en la propia casa de ésta, es de creer que sentía por ella un sentimiento bastante profundo. Tal vez debamos a este amor malogrado la creación de *El viejo y la niña*.

Y también la de *El sí de las niñas*... Algunos elementos autobiográficos nuevos pueden haber influido en la elaboración de esta última obra. Pero no se puede afirmar rotundamente, con Ruiz Morcuende, que "La heroína, la *niña* cuyo *sí* es nudo y desenlace de la comedia fue en la vida real doña Francisca Gertrudis Muñoz y Ortiz, hija de Don Santiago Muñoz, militar irascible, y de doña María Ortiz, charlatana y quejicona señora".

En efecto, de un proyecto de casamiento de doña Francisca Gertrudis —con un desconocido— se trata sólo en septiembre de 1807. [13] Pero sus bodas con el capitán Valverde no se verifican hasta 1816, esto es cuando Moratín se podía considerar algo "viejo", aunque doña Francisca distaba ya mucho de ser "niña". En 1801, fecha en que se da por concluida *El sí de las niñas*, Moratín, con sus cuarenta y un años no se puede comparar ni a don Carlos ni a don Diego. Por otra parte la familia de la protagonista de la comedia es de condición más elevada que la de su supuesto modelo.

---

[12] Seg. ed., 1792, p. 224.
[13] Véase *Diario*, ed. cit., p. 364, n. 855.

En cambio no es inverosímil que para complacer a su nueva amiga, a quien conocía desde 1798, Moratín llamase Francisca a la niña de su obra. Es más difícil aún negar que algunos rasgos del carácter de doña Irene procedan de doña María Ortiz, madre de Paquita Muñoz: en agosto de 1806 Moratín alude ya en una carta a un achaque de doña María [14] y en la larga correspondencia que entabla con su hija durante el destierro, dicha señora aparece enfermiza y quejicosa, bastante exigente y sobre todo interesada. No obstante, el que Moratín la convidase a una representación de su comedia el 27 de enero de 1806 deja suponer que la madre mandona y ridícula que actuaba en las tablas no se podía tener por un retrato demasiado fiel del original.

* * *

Si *El sí de las niñas* se representó con aplauso excepcional fue porque su argumento, particularmente grato a Moratín y desarrollado además por un buen dramaturgo, corresponde también a una de las preocupaciones esenciales del público de la época. El período que estudiamos abunda en obras —entre ellas unos éxitos innegables— que reflejan estas preocupaciones. El conflicto de la autoridad paterna y la libertad de los hijos, el de los imperativos sociales y los derechos del amor, es decir del individuo, esencialmente de la mujer, es directa o indirectamente el motor de muchas intrigas tales como las de la *Jacoba* de Comella, *El filósofo enamorado*, de Forner, *Las víctimas del amor*, o *El triunfo del amor y de la amistad*, de Zavala y Zamora, *El amor y la intriga*, arreglo de la obra de Schiller, etc. La prensa periódica publica no pocos artículos relativos al papel de la mujer en la familia o en la sociedad, a la educación que mejor le conviene

---

[14] Carta XLVIII, *O. P.*, II, p. 186-188 (de fecha equivocada).

(recuérdense las declaraciones de don Diego sobre "los frutos de la educación", en el último acto de *El sí de las niñas; La señorita mal criada*, de Tomás de Iriarte, etc.). Pero el acontecimiento fundamental sin el que no se puede explicar enteramente no sólo la última comedia de don Leandro, sino tampoco las anteriores (con excepción de *La comedia nueva*), es la publicación por Carlos III de la pragmática de 23 de marzo de 1776 por la que se obligaba a los hijos a solicitar el consentimiento del cabeza de familia para la contracción de esponsales y matrimonio. [15] La frecuencia de los casamientos desiguales (es decir entre personas de distintas esferas) contraídos, claro está, sin noticia o contra la voluntad de los padres, había movido al gobierno a tomar esta medida por la que se reforzaba la *autoridad paterna* sobre los menores de 25 años. La obligación impuesta a los jóvenes abarcaba "desde las más altas clases del Estado, sin excepción alguna, hasta las más comunes del Pueblo; porque en todas sin diferencia tiene lugar la *indispensable y natural obligación del respeto a los padres*, y mayores que estén en su lugar, por *Derecho natural y divino* y por la gravedad de la *elección de estado con personas convenientes,* cuyo discernimiento *no puede fiarse a los hijos de familia* y menores sin que intervenga la deliberación y consentimiento paterno, para reflexionar las conseqüencias y atajar con tiempo las resultas turbativas y perjudiciales al Público y a las familias".

Y en los puntos 7 y 8, se añadía:

"... es justo precaver al mismo tiempo el abuso y exceso en que puedan incurrir los padres y parientes en agravio y perjuicio del arbitrio y libertad que tienen los hijos para la elección del estado a que su vocación los llama, y en caso de ser el de matrimonio, para que no se les obligue ni precise a casarse con persona determinada contra su voluntad, pues ha manifestado

15 *Novísima Recopilación*, Lib. X, Tít. II, Ley. IX.

la experiencia que *muchas veces los padres y parientes, por fines particulares e intereses privados, intentan impedir que los hijos se casen y los destinan a otro estado contra su voluntad y vocación, o se resisten a consentir en el matrimonio justo y honesto* que desean contraer sus hijos, *queriéndolos casar violentamente* con persona a que tienen repugnancia...

8—... y habiendo considerado los *gravísimos perjuicios* temporales y espirituales que resultan a la República civil y cristiana de impedirse los matrimonios justos y honestos o de celebrarse sin la debida libertad y recíproco afecto de los contrayentes, declaro y mando que los padres... deban precisamente prestar su consentimiento si no tuvieren justa y racional causa para negarlo, como lo sería si el tal matrimonio ofendiera gravemente al honor de la familia o perjudicase al estado".

La primera ilación sugerida por este texto —tal vez la más importante— es que si a los padres se les obliga, por lo menos teóricamente, a dar su consentimiento para los casamientos "razonables" (se trata sobre todo de impedir las vocaciones forzosas y el celibato), *no se les prohibe casar a sus hijos contra su gusto*, aunque se denuncian las graves consecuencias de la violencia en estos casos. El real decreto de 10 de abril de 1803 confirmó en cierta medida este aspecto.

El sí de las niñas, como otras comedias de su época, propone una solución para este problema que la legislación deja finalmente pendiente.

Varios contemporáneos de *El sí de las niñas* extrañaron la aparente contradicción entre el valor del teniente coronel en el campo de batalla y la suma timidez que manifiesta ante su tío, por la que abandona por ejemplo a Paquita después de mandarle don Diego que regrese a Zaragoza:

"No me parece feliz —escribe un anónimo— [16] que un soldado que clava cañones..., que vuelve del campo cubierto de sangre y cuyas hazañas premia el Rey con el grado de teniente coronel y una cruz de Alcántara, que es tan tierno y enamorado que una carta de su doña Paquita le obliga a venir precipitado de Zaragoza a defenderla sin que haya peligros ni obstáculos que no atropelle en la crítica situación en que acaba de hablar con su amada, y la abandone tan vilmente nada más que porque su tío se lo manda".

Este parecer fue poco más o menos el de Larra y sigue teniendo partidarios en la actualidad. Se trata sencillamente de un error de enfoque, aun para los contemporáneos de Moratín, pues no es posible que un dramaturgo entonces en plena posesión de su arte haya cometido involuntariamente lo que viene considerándose como una torpeza. En efecto, la idea que no pocos espectadores de fines del XVIII se forman aún del galán es la que han popularizado las comedias del Siglo de Oro, frecuentemente representadas aunque ya con poco éxito, y la comedia moderna heredera de la anterior, la heroica de los Cañizares y Zamoras, la de los Conchas y Moncines; esto es, la idea de un joven esencialmente apasionado y valiente, por no decir temerario, y capaz por lo tanto de atropellar ciertas conveniencias sociales, de luchar contra la justicia o la autoridad, de sacar la espada por cualquier motivo y sobre todo en asuntos de su edad, es decir, de amor —infringiendo la ley del duelo reiteradamente promulgada en tiempo de los Borbones—; en suma, se trata de un joven que en la óptica de los ilustrados y, más generalmente, de los partidarios del absolutismo borbónico, no aparece sino como un delincuente, o cuando menos como un bárbaro, mientras los tradicionalistas le tienen por un símbolo de españolismo. Dicho sea de otro modo, Moratín y sus amigos temen que el "mal ejemplo"

[16] B. N. M., ms. 12963/3 (copia de Moratín).

dado por estos galanes contribuya a acelerar la ya evidente decadencia de las costumbres, favoreciendo el desorden y la negación de la jerarquía social, la desobediencia a la autoridad pública y privada. El héroe "positivo" tal como lo concibe don Leandro es tan valiente como su antecesor, pero su valentía es, por decirlo así, legal, se ejerce en el marco de la legalidad. Si Moratín, por medio de Simón, insiste tanto en el valor y demás cualidades de su protagonista, es porque está persuadido de la novedad que representa, y para que su actitud de sumisión ante su tío y su consiguiente renuncia a doña Francisca no se interpreten como manifestación de cobardía. Don Carlos tiene que dar el ejemplo de un joven capaz de *dominar sus pasiones* (en vez de ser dominado por ellas; no es cobardía, sino, como se ve, valor) para salvaguardar unos principios tan esenciales como la *autoridad del cabeza de familia* y la del gobierno al que éste representa en su casa. [16 bis]

Esto nos permite comprender por qué Calamocha, sea cual sea su abolengo literario, presenta graciosamente a su amo como si se tratara de un enamorado del siglo XVII, "celoso, amenazando vidas... Aventurado a quitar el hipo a cuantos le disputen la posesión de su Currita idolatrada". [17] Es la actitud de un héroe de comedia antigua y de sus descendientes del siglo XVIII. El seudónimo don Félix de Toledo elegido por don Carlos no es por lo tanto casual: en las ediciones primitivas, añadía el joven militar que éste era el nombre dado por Calderón a algunos de sus galanes. La serie de bravatas que suelta Calamocha en la ya citada escena procede del mismo punto de vista:

[16bis] J. Casalduero fue el primero que rectificó el error de Larra (op. cit., p. 208 sig.); pero no advierte que D. Carlos se define con relación al galán de la tradición y a los que lo toman por modelo. A pesar de su fino análisis, toma por elemento de comparación el héroe romántico, es decir, el símbolo de una mentalidad *posterior* a la época de Moratín.

[17] I, 8.

"Pero el novio, ¿trae consigo criados, amigos o deudos que le quiten la primera zambullida que le amenaza?... Mira, dile en caridad que se disponga, porque está en peligro...", etc.

Es el lenguaje de un perdonavidas, mejor dicho, de un *majo*, y para un neoclásico, el héroe calderoniano es una mezcla de quijote y de majo. Pero quien pronuncia estas palabras ya no es el galán, sino su *criado*, aunque habla como si fuera en nombre del amo. De manera que el personaje de don Carlos, al salir a las tablas sólo en la mitad del acto segundo, se va a definir con relación al previo retrato "literario" que su ordenanza acaba de hacer, resaltando más su novedad, es decir en este caso, su ejemplaridad.

Y sin embargo, a pesar de ser don Carlos un modelo de respeto filial, llega un momento en que se rebela contra la actitud de su tío diciéndole que el sí de Paquita no significará que haya dejado de querer a su amante (es una manera delicadísima al par que prudente de sugerir que en la vida corriente la consecuencia de estas uniones desiguales puede ser el adulterio). [18] Esta rebelión —aunque esencialmente verbal— parece en contradicción con la actitud de completa sumisión del joven frente a don Diego. Indudablemente. Es que en realidad, el intento de Moratín es subrayar lo *inhabitual* del caso, mostrar que la autoridad del cabeza de familia tiene un límite que más vale no rebasar, un límite a partir del cual el hijo (o el sobrino) más obediente y consciente de los valores morales vigentes ya no puede dominarse (don Diego se asusta de esta "temeridad"; ahora bien: don Carlos emplea la *misma* palabra en el acto II para calificar la reacción pasional que entonces se siente todavía capaz de refrenar por un esfuerzo de voluntad). Estamos en la escena penúltima de la comedia: la breve "rebelión" —por lo

[18] III, 10.

demás respetuosa—del joven suena por lo tanto como un aviso a los padres.

El "volterianismo" no basta para explicar por qué Moratín dio a su doña Irene una parentela con tan importante porcentaje de eclesiásticos. Bajo el antiguo régimen, la Iglesia constituía para muchas familias un medio honrado y legal de remediar una situación económica poco floreciente: baste recordar que el propio Moratín se ordenó de menores para disfrutar del beneficio debido al favor real, y que el gobierno de Carlos III tomó medidas encaminadas a evitar que los "padres y parientes, por fines particulares y privados, *intentasen* impedir que los hijos se *casasen* y los *destinasen* a otro estado contra su voluntad y vocación". [19] Lo importante en la comedia moratiniana es que doña Irene, después de dar al traste con los ahorros de su difunto esposo, depende económicamente de su familia y que la influencia de ésta sobre la madre de Paquita es por tanto determinante. Hace mucho caso del parecer de Trinidad y Circuncisión; pocas horas después de despedirse de su hermana, no piensa ya sino en escribirle, actitud que la sabiduría popular, por boca de la criada Rita, llama "gazmoñería". Y es para dar mayor realce a ese aspecto de su carácter por lo que Moratín le da por compañero inseparable un tordo tan "gazmoño" como su ama, pues no sabe sino cantar el Gloria Patri y la oración del Santo Sudario.

Ahora bien, las tías monjas ejercen una presión permanente sobre su sobrina para que case con don Diego, [20] y también sobre el anciano pretendiente, pues confiesa éste que le han dado "cuantas seguridades *podía* apetecer". [21] Por lo tanto, una relación estrecha de causa a consecuencia une, para Moratín, el ambiente

[19] Loc. cit. Véase p. 147.
[20] "Acosada la señorita con tales propuestas y angustiada incesantemente con los sermones de aquella bendita monja..." (I, 8).
[21] I, 1.

clerical que rodea a doña Irene y la determinación *anti-natural* que toma para su hija. De ahí los nombres a todas luces burlescos de las monjas, lo cual denuncian varios críticos o censores oficiales de la época. No se trata de una mera chanza gratuita, sino que dichos nombres expresan a su manera que las que los llevan pertenecen a un mundo distinto del de doña Francisca o don Carlos y que por lo tanto son incapaces de comprender que el matrimonio y el ingreso en el convento —las dos maneras de tomar estado— no obedecen a unas mismas reglas. De ahí su error, también cometido por doña Irene. Y este parecer no es peculiar de Moratín, sino que por el contrario, para muchos ilustrados adictos al gobierno, la vida conventual y de una manera general, el celibato —eclesiástico o seglar— son social y económicamente estériles.

Si añadimos que los demás parientes pertenecen al sector más conservador de la sociedad —los regidores, no muy amigos de un Cabarrús, denunciados por el gran corregidor Antonio de Armona, adversarios de la reforma teatral de 1800; el padrino de doña Francisca, el cual trata de compensar la humildad de su posición social con una pedantería anticuada; la propia doña Irene, vanidosa y nostálgica por el pasado esplendor de su familia— vemos que la educación de la niña y la concepción del matrimonio en la que desemboca se denuncian por pertenecer al pasado, por no convenir ya a las necesidades de la época.

Pero cabe preguntarse ahora si es Moratín tan "revolucionario" como se ha dicho a veces. El que ciertos críticos de su tiempo le hayan tenido por tal y denunciado al Santo Oficio no constituye una prueba suficiente. Los "frutos de la educación" dada a doña Francisca y denunciada por don Diego en su conocido parlamento en la escena 8 del acto III, son ante todo la disimulación y la hipocresía, consecuencia de una pedagogía fundada en el ascetismo cristiano:

"Esto es lo que se llama criar bien a una niña: enseñarle a que desmienta y oculte las pasiones más inocentes con una pérfida disimulación. Las juzgan honestas luego que las ven instruidas en el arte de callar y mentir. Se obstinan en que el temperamento, la edad ni el genio no han de tener influencia alguna en sus inclinaciones, o en que su voluntad ha de torcerse al capricho de quien las gobierna. Todo se les permite, menos la sinceridad. Con tal que no digan lo que sienten, con tal que finjan aborrecer lo que más desean, con tal que se presten a pronunciar cuando se lo manden un sí perjuro y sacrílego, *origen de tantos escándalos,* ya están bien criadas..."

Nada ilustra mejor el alcance de esta "buena educación" que la imposibilidad en que se halla Francisca, respetuosa de las conveniencias, de decir a su viejo pretendiente si le quiere o le aborrece. Su madre contesta en efecto a don Diego:

"...hágase usted cargo de que a una niña no la es lícito decir con ingenuidad lo que siente. Mal parecería, señor don Diego, que una doncella de vergüenza y criada como Dios manda se atreviese a decirle a un hombre: *yo le quiero a usted.*" [22]

Ahora bien, el "vecino de Guadalaxara" [23] considera por su parte normal que la niña no diga al anciano:

"Señor, *no quiero casarme con vm...* Esto sería contrario a lo que observamos en todas las señoritas bien criadas..."

De manera que Moratín acierta perfectamente al afirmar que esta educación tiene por fin acostumbrar a las niñas al "silencio de un esclavo", esto es, asegurar la autoridad absoluta de los padres en los asuntos matrimoniales de sus hijos. Pero la expresión completa

[22] I, 4.
[23] Op. cit., p. 141.

de Moratín es: "el temor, *la astucia* y el silencio de un esclavo". La astucia: recordamos inmediatamente a doña Clara, la heroína de *La mojigata*, la cual acaba por engañar a su padre fingiendo la "santidad", es decir la actitud extrema a que puede llevar una educación fundada en los mismos principios que la de doña Francisca. [24] Otra "astucia": el casamiento clandestino, por lo tanto, la *rebeldía*, la *negación de la autoridad paterna*, siendo el ejemplo contemporáneo más ilustre el del joven Antonio Alcalá Galiano. [25] Dicho sea de otro modo, el exceso de autoridad puede ser *contraproducente*. Este es el sentido fundamental de *El sí de las niñas*: prevenir las graves consecuencias que pueda tener para la autoridad el mismo abuso de ella.

Pero prosigamos. La alusión de Rita a las novelas que ella y doña Francisca leían a hurtadillas en el convento tampoco puede reducirse a una mera manifestación de anticlericalismo elemental. Ni mucho menos. En un artículo (¿de Moratín?) publicado en el *Diario de Valencia* el 15 de mayo de 1813 —unos siete años después del estreno de la comedia— se alude, para criticarlo, al rigor de la educación de las niñas en unos términos muy parecidos a los de don Diego, y se añade:

"sólo puede permitírselas la [lectura] de *inmorales novelas y comedias que las exalten bien la imaginación,* para que cuando salgan del *trabajoso estado de la doncellez* sepan *cómo han de eludir la vigilancia del marido*."

Diráse que a doña Francisca no se le permite leer novelas: pero el peligro es mucho mayor puesto que la niña las lee a hurtadillas. Esta literatura [26] es tanto más "peligrosa" cuanto que es pasto de una joven cuya

---

[24] Y nótese que D.ª Irene también cree que su hija quiere hacerse monja.
[25] *Memorias...*, B. A. E., LXXXIII, p. 355.
[26] Véase p. 198, n. 53.

"razón se halla todavía imperfecta y débil" y cuyos ímpetus pasionales, por lo tanto, "son mucho más violentos". [27]

Digámoslo de otra forma: la heroína de *El sí de las niñas* se halla

"en la misma [edad] en que *la sociedad contradice a la naturaleza*: en la *mayor efervescencia de las pasiones* de la una, y cuando *su razón no tiene todavía la madurez* que pide la otra." [28]

Reprimir las inclinaciones naturales de una *soltera* no la predispone a aceptar ulteriormente los preceptos de la "razón", es decir, a moderar dichas inclinaciones para armonizarlas con las reglas de la vida en sociedad, y esencialmente, *de la vida conyugal*. Ahora bien, la célula familiar, como reino en miniatura, ocupa un lugar importante en las preocupaciones de los gobernantes, los cuales fundan en ella buena parte de su propaganda económico-social. En un momento en que tanto los nacionales como los extranjeros lamentan la relajación de las costumbres, el aflojamiento de los lazos conyugales en las clases acomodadas (baste aludir a los cortejos), *El sí de las niñas* propone una solución de compromiso entre las tendencias de una juventud ya más exigente que en otros tiempos y las necesidades de la política interior.

Sin embargo doña Francisca, a pesar de su pésima educación, según parecer de Moratín ¿no se porta como una muchacha honestísima? Sin duda alguna, no se rebela. Pero no se olvide que Moratín ha querido presentar a su público una joven *ejemplar* en la medida en que más vale elogiar una cualidad que criticar

---

[27] II, 5.
[28] Es frase de Cabarrús (*Cartas sobre los obstáculos que la naturaleza, la opinión y las leyes oponen a la felicidad pública*, ed. Biblioteca de Filósofos españoles, M., 1932, p. 89). Moratín fue su secretario en 1787.

el vicio correspondiente. No por ello deja de sugerir las graves consecuencias posibles de la opresión que padece la niña. En efecto, su entrevista con don Carlos en la sala de la posada, *sin noticia de los padres*, y *a oscuras*, [29] debía de interpretarse como algo más grave de lo que podríamos juzgar a primera vista con nuestra mentalidad de hombres del siglo XX, si recordamos por ejemplo con qué unanimidad se denunciaba la "inmoralidad" de las citas nocturnas en las comedias antiguas. Abramos *La mojigata* en la escena 3.ª y 4.ª del acto II: tal actitud se califica de "libertad", "esceso"; en la 10.ª se habla a este propósito de "procedimientos / De libertinaje". Este ejemplo nos da a entender de qué manera se ha de enfocar la escena de la entrevista de don Carlos y doña Francisca; si ésta se llamara doña Clara, hubiera aprovechado la ocasión para planear su huida con el mozo, estallando el "escándalo" al que aludía D. Diego.

Merece la pena advertir que, todo bien mirado, doña Irene no es más autoritaria con su hija que don Diego con su sobrino. Sólo a propósito del casamiento es cuando sus actitudes son netamente distintas: en este caso, los buenos padres, dice el anciano, no mandan, sino que "insinúan, proponen, aconsejan". [30] Luego, si el casamiento constituye una *excepción* a la regla, es que el principio de la obediencia incondicional de los hijos no se discute sino que, por el contrario, se teme verlo discutir, verlo poner en tela de juicio a consecuencias de un error, de un "abuso" cometido por el que detenta la autoridad en la familia. No perdamos de vista que una de las cualidades de la niña es, según don Diego, la humildad. En resumen, el exceso de autoridad de los padres se critica sólo en la medida en que puede desencadenar, sobre todo después

---

[29] Mejor dicho, a media luz, ya que Rita sólo ha dejado una de las dos que había anteriormente.
[30] II, 5.

de las bodas, una rebeldía peligrosa para la autoridad marital, tanto más cuanto que según varios testimonios de la época, la casada gozaba de una libertad infinitamente superior a la de la soltera.

Lo que se critica en el casamiento desigual, no es la desigualdad como tal, sino la opresión ejercida sobre uno de los contrayentes. El casamiento desigual del escritor José Antonio Conde con la joven prima hermana de Moratín fue una unión al parecer sólida. Pero tampoco fuera desgraciada la proyectada por don Diego con una Paquita sin amante, *ni aún la que doña Irene quiere imponer a su hija,* ya que ésta le declara a D. Diego que después de casada con él se ha de portar como "mujer de bien" "mientras *le* dure la vida".

Por lo tanto el "escándalo" no es la misma opresión sufrida por las jóvenes, sino el desquite que tarde o temprano se puedan tomar. Así pues, Moratín, como la mayor parte, por no decir la totalidad, de sus contemporáneos, se forma un concepto finalmente poco halagüeño de la mujer en un momento en que ésta manifiesta a todas luces su ansia de dignidad, pero de una dignidad ya no poética sino real; y casi nos atreveremos a decir: *porque* la manifiesta.

RENÉ ANDIOC

NOTA PREVIA

REPRODUCIMOS en la presente edición el texto de *El sí de las niñas* contenido en el tomo segundo de las *Obras dramáticas y líricas* publicadas en París por Aug. Bobée en 1825 con anuencia del autor, teniendo en cuenta las últimas enmiendas autógrafas que figuran en el ejemplar de Moratín custodiado en la sección de Raros de la Biblioteca Nacional de Madrid bajo la signatura R. 2571-3, aunque por razones técnicas —necesidad de unas cuantas notas aclaratorias— ha sido imposible respetar la "última voluntad" moratiniana de que las acotaciones figurasen a pie de página, como en la ed. de *La comedia nueva* por Bodoni en 1796 y en las eds. sucesivas de sus comedias.

Este es, pues, el texto definitivo. Pero el fundamental para la historia de la literatura —por lo menos tal como la concebimos— es el que utilizaron los cómicos el día del estreno en enero de 1806 y cuya impresión se encomendó el propio año a Villalpando. Además, sabido es que la primera edición de *El sí de las niñas,* obra del mismo impresor, aunque menos conocida por ser mucho más raros sus ejemplares, es de fines de 1805 y también contiene ciertos pasajes que desaparecieron en las siguientes. Hemos pensado que convenía, por lo tanto, restituir el texto primitivo valiéndonos de algunas notas complementarias. Se han modificado la puntuación y la ortografía con arreglo a las normas actuales.

R. A.

EL·SÍ DE LAS NIÑAS.

COMEDIA

EN TRES ACTOS,

EN PROSA.

SU AUTOR

INARCO CELENIO

P. A.

Estas son las seguridades que dan los padres,
y los tutores, y esto lo que se debe fiar en
el sí de las niñas. ACT. III. SCENA XIII.

MADRID.

IMPRENTA DE VILLALPANDO.

MDCCCVI.

Éstas son las seguridades que
dan los padres y los tutores, y
esto lo que se debe fíar en el sí
de las niñas.

ACTO III, escena 13. [1]

---

[1] Moratín escribió una comedia intitulada *El Tutor* durante
su viaje por Europa; por lo menos, la dio por concluida el 14
de diciembre de 1792, según deja apuntado en su diario; pero
dicha obra no fue del gusto de Esteban de Arteaga, a quien se la
leyó varios meses después, y en carta a Melón de 18 de junio de
1796 (*O. P.*, II, p. 173) escribe que ya no existe dicha obra. ¿Fue
El sí de las niñas, como se escribe a veces, una refundición de *El
Tutor*? No disponemos del más mínimo indicio para afirmarlo.
    La Isabel de *El Viejo y la niña* contrajo un matrimonio desigual
a instigación de su tutor, y se podrá observar que, con excepción
de *La mojigata*, la figura del padre de familias no aparece en el
teatro de Moratín, a pesar de plantearse en cada una de sus comedias, incluso en *El Café*, el problema del matrimonio. Tal vez
se deba al deseo de corresponder a las miras del gobierno, el cual
tomó a fines del XVIII unas medidas encaminadas a restaurar la
autoridad paterna. Pero no se olvide que sólo en Madrid, el número
de las viudas era *triple* del de los viudos en 1787 (10.178 hembras
por 3.505 varones en un total de unos 156.000 habitantes. —"Extracto
del plan general de la enumeración de vecinos y habitantes exis-
tentes en Madrid executada de orden de S. M.", en *Diario de Madrid*, 15 nov. de 1787, p. 555—). Además, según la misma fuente
los casados de edad de 50 años para arriba eran 7.462; las casadas
sólo 4.783. De manera que los casamientos desiguales ("viejo" con
"niña") no eran sólo meras ficciones literarias.

ADVERTENCIA

El sí de las niñas se representó en el teatro de la Cruz el día 24 de enero de 1806, y si puede dudarse cuál sea entre las comedias del autor la más estimable, no cabe duda en que ésta ha sido la que el público español recibió con mayores aplausos. Duraron sus primeras representaciones veinte y seis días consecutivos, hasta que llegada la cuaresma se cerraron los teatros como era costumbre. Mientras el público de Madrid acudía a verla, ya se representaba por los cómicos de las provincias, y una culta reunión de personas ilustres e inteligentes se anticipaba en Zaragoza a ejecutarla en un teatro particular, mereciendo por el acierto de su desempeño la aprobación de cuantos fueron admitidos a oirla. Entretanto se repetían las ediciones de esta obra: cuatro se hicieron en Madrid durante el año de 1806, y todas fueron necesarias para satisfacer la común curiosidad de leerla, excitada por las representaciones del teatro.

¡Cuánta debió ser entonces la indignación de los que no gustan de la ajena celebridad, de los que ganan la vida buscando defectos en todo lo que otros hacen, de los que escriben comedias sin conocer el arte de escribirlas, y de los que no quieren ver descubiertos en la escena vicios y errores tan funestos a la sociedad como favorables a sus privados intereses! La aprobación pública reprimió los ímpetus de los críticos

161

foliculario s: nada imprimieron contra esta comedia, y la multitud de exámenes, notas, advertencias y observaciones a que dio ocasión, igualmente que las contestaciones y defensas que se hicieron de ella, todo quedó manuscrito. Por consiguiente, no podían bastar estos imperfectos desahogos a satisfacer la animosidad de los émulos del autor, ni el encono de los que resisten a toda ilustración y se obstinan en perpetuar las tinieblas de la ignorancia. Éstos acudieron al modo más cómodo, más pronto y más eficaz, y si no lograron el resultado que esperaban, no hay que atribuirlo a su poca diligencia. Fueron muchas las delaciones que se hicieron de esta comedia al tribunal de la Inquisición. Los calificadores tuvieron no poco que hacer en examinarlas y fijar su opinión acerca de los pasajes citados como reprensibles; y en efecto, no era pequeña dificultad hallarlos tales en una obra en que no existe ni una sola proposición opuesta al dogma ni a la moral cristiana.

Un ministro, cuya principal obligación era la de favorecer los buenos estudios, hablaba el lenguaje de los fanáticos más feroces, y anunciaba la ruina del autor de *El sí de las niñas* como la de un delincuente merecedor de grave castigo. Tales son los obstáculos que han impedido frecuentemente en España el progreso rápido de las luces, y esta oposición poderosa han tenido que temer los que han dedicado en ella su aplicación y su talento a la indagación de verdades útiles y al fomento y esplendor de la literatura y de las artes. Sin embargo, la tempestad que amenazaba se disipó a la presencia del Príncipe de la Paz; su respeto contuvo el furor de los ignorantes y malvados hipócritas que, no atreviéndose por entonces a moverse, remitieron su venganza para ocasión más favorable.

En cuanto a la ejecución de esta pieza, basta decir que los actores se esmeraron a porfía en acreditarla,

y que sólo excedieron al mérito de los demás los papeles de Doña Irene, Doña Francisca y D. Diego. En el
primero se distinguió María Ribera, por la inimitable
naturalidad y gracia cómica con que supo hacerle. Josefa Virg rivalizó con ella en el suyo, y Andrés Prieto,
nuevo entonces en los teatros de Madrid, adquirió el
concepto de actor inteligente que hoy retiene todavía
con general aceptación.

PERSONAS

DON DIEGO
DON CARLOS
DOÑA IRENE
DOÑA FRANCISCA

RITA
SIMÓN
CALAMOCHA

~~~~~~

La escena es en una posada de Alcalá de Henares.

El teatro representa una sala de paso con cuatro puertas de habitaciones para huéspedes, numeradas todas. [2] Una más grande en el foro, con escalera que conduce al piso bajo de la casa. Ventana de antepecho a un lado. Una mesa en medio, con banco, sillas, etc. [3]

La acción empieza a las siete de la tarde y acaba a las cinco de la mañana siguiente. [4]

---

[2] "et je voudrais...une salle sur laquelle ouvrent ces divers appartements, à qui j'attribuerais deux privilèges: l'un, que chacun de ceux qui y parleraient fût présumé et parler avec le même secret que s'il était dans sa chambre; l'autre, qu'au lieu que dans l'ordre commun il est quelquefois de la bienséance que ceux qui occupent le théâtre aillent trouver ceux qui sont dans leur cabinet pour parler à eux, ceux-ci pussent les venir trouver sur le théâtre, sans choquer cette bienséance, afin de conserver l'unité de lieu et la liaison des scènes" (Corneille, *Des trois unités, d'action, de jour et de lieu*).

Véase también Iriarte, *El señorito mimado*.

[3] Este "etc." constituye la exacta antítesis de las largas y minuciosas descripciones que encabezan los actos o jornadas de muchas comedias contemporáneas, en las que el lujo de la representación es elemento esencial. Aquí la decoración es lo de menos; mejor dicho está enteramente subordinada a la intriga y por lo tanto reducida a lo estrictamente necesario: cinco puertas que hacen verosímiles las salidas y entradas de los actores; una ventana indispensable en el acto III; un banco en el que duerme Simón —pues es preciso que esté en la sala de paso—, etc.

[4] El primero que puntualizó sistemáticamente los límites temporales de la acción fue Tomás de Iriarte (véanse *El señorito mimado* y *La señorita mal criada*).

164

ACTO I

~~~~~~

ESCENA PRIMERA

DON DIEGO, SIMÓN

(Sale D. Diego de su cuarto. Simón, que está sentado en una silla, se levanta)

D. DIEGO

¿No han venido todavía?

SIMÓN

No, señor.

D. DIEGO

Despacio la han tomado por cierto.

SIMÓN

Como su tía la quiere tanto, según parece, y no la ha visto desde que la llevaron a Guadalajara...

D. DIEGO

Sí. Yo no digo que no la viese; pero con media hora de visita y cuatro lágrimas estaba concluido.

SIMÓN

Ello también ha sido extraña determinación la de estarse usted dos días enteros sin salir de la posada.

Cansa el leer, cansa el dormir... Y sobre todo, cansa la mugre del cuarto, las sillas desvencijadas, [5] las estampas del *hijo pródigo*, el ruido de campanillas y cascabeles, y la conversación ronca de carromateros y patanes, que no permiten un instante de quietud. [6]

D. DIEGO

Ha sido conveniente el hacerlo así. Aquí me conocen todos, [7] y no he querido que nadie me vea.

SIMÓN

Yo no alcanzo la causa de tanto retiro. Pues ¿hay más en esto que haber acompañado usted a Doña Irene hasta Guadalajara, para sacar del convento [8] a la niña y volvernos con ellas a Madrid?

---

[5] Los testimonios de los viajeros españoles y extranjeros acerca de las posadas concuerdan con esta descripción poco favorable de Simón.

[6] Simón expresa el punto de vista de Moratín, propietario de una finquita en Pastrana, muy cerca de Alcalá.

[7] "...El Corregidor, el Señor Abad, el Visitador, el Rector de Málaga... ¡Qué sé yo! Todos... Y ha sido preciso estarme quieto y no exponerme a que me hallasen por ahí" (ed. de 1805 y 1806).

El "Señor Abad" es el abad mayor de la magistral de Alcalá. El "Rector de Málaga" es el rector del colegio de Málaga, en la misma ciudad. Es interesante advertir que Moratín conocía personalmente a uno y otro, respectivamente Dr. Juan de Atienza y Dr. Antonio Jabonero, siendo éste también canónigo de la magistral (véase *Diario de Leandro Fernández de Moratín*, ed. Castalia, M., 1968, *s.v.*).

Nótese de paso cómo D. Leandro, con esas breves alusiones a varias personalidades complutenses, consigue situar socialmente a D. Diego.

[8] Un tal Bernardo García, autor de la *Carta crítica de un vecino de Guadalaxara* (Biblioteca Nacional, Madrid, ms. 9274), escribe que el blanco de la sátira de Moratín es un determinado convento, "el *único* en Guadalaxara en que se da educación a señoritas hijas y sobrinas de grandes, títulos, y caballeros de la primera distinción del Reyno".

Desgraciadamente, no se le nombra. Creemos sin embargo que el dramaturgo, a pesar de la seguridad que le daba el reciente nombramiento de su amigo Melón para el cargo de Juez de Imprentas, tomaría algunas precauciones para poder rebatir eventualmente tales acusaciones. En efecto, la regla de San Benito y la Santa Gertrudis de alcorza que regalaron las monjas de Alcalá a doña Francisca dejan suponer que se trata de un convento de benitas. ¿Se ha de entender "Alcalá" en vez de "Guadalajara"? El libro

D. DIEGO

Sí, hombre; algo más hay de lo que has visto.

SIMÓN

Adelante.

D. DIEGO

Algo, algo... Ello tú al cabo lo has de saber, y no puede tardarse mucho... Mira, Simón, por Dios te encargo que no lo digas... Tú eres hombre de bien, y me has servido muchos años con fidelidad... Ya ves que hemos sacado a esa niña del convento y nos la llevamos a Madrid.

SIMÓN

Sí, señor.

D. DIEGO

Pues bien... Pero te vuelvo a encargar que a nadie lo descubras.

SIMÓN

Bien está, señor. Jamás he gustado de chismes.

D. DIEGO

Ya lo sé, por eso quiero fiarme de ti. Yo, la verdad, nunca había visto a la tal Doña Paquita; pero mediante la amistad con su madre, he tenido frecuentes noticias de ella; he leído muchas de las cartas que escribía; he visto algunas de su tía la monja, con quien ha vivido en Guadalajara; en suma, he tenido cuantos informes

---

de F. Layna Serrano, *Los conventos antiguos de Guadalajara* (M., 1943), no menciona *ningún* establecimiento de educación regido por esta orden; en cambio, varios pormenores que no podemos exponer en esta breve nota y examinamos en otro estudio más amplio nos mueven a pensar que la casa aludida —mejor dicho, la que García tenía por aludida— era el llamado Colegio de las Vírgenes del convento de Nuestra Señora de la Fuente, que estaba al cuidado de las carmelitas descalzas, y una de cuyas rectoras más ilustres se llamó Sor Trinidad, como la monja de *El sí de las niñas*.

pudiera desear acerca de sus inclinaciones y su conducta. Ya he logrado verla; he procurado observarla en estos pocos días, y a decir verdad, cuantos elogios hicieron de ella me parecen escasos.

SIMÓN

Sí, por cierto... Es muy linda y...

D. DIEGO

Es muy linda, muy graciosa, muy humilde... Y sobre todo, ¡aquel candor, aquella inocencia! Vamos, es de lo que no se encuentra por ahí... Y talento... Sí señor, mucho talento... Conque, para acabar de informarte, lo que yo he pensado es...

SIMÓN

No hay que decírmelo.

D. DIEGO

¿No? ¿Por qué?

SIMÓN

Porque ya lo adivino. Y me parece excelente idea.

D. DIEGO

¿Qué dices?

SIMÓN

Excelente.

D. DIEGO

¿Conque al instante has conocido?...

SIMÓN

¿Pues no es claro?... ¡Vaya!... Dígole a usted que me parece muy buena boda. Buena, buena.

D. DIEGO

Sí, señor... Yo lo he mirado bien, y lo tengo por cosa muy acertada.

Una escena de *El sí de las niñas*

Edición de París, 1825

El actor Manuel García Parra

Biblioteca Nacional, Madrid
Sección de Estampas

SIMÓN

Seguro que sí.

D. DIEGO

Pero quiero absolutamente que no se sepa hasta que esté hecho.

SIMÓN

Y en eso hace usted bien.

D. DIEGO

Porque no todos ven las cosas de una manera, y no faltaría quien murmurase, y dijese que era una locura, y me...

SIMÓN

¿Locura? ¡Buena locura!... ¿Con una chica como ésa, eh?

D. DIEGO

Pues ya ves tú. Ella es una pobre... Eso sí... [9] Pero yo no he buscado dinero, que dineros tengo; he buscado modestia, recogimiento, virtud.

SIMÓN

Eso es lo principal... Y, sobre todo, lo que usted tiene ¿para quién ha de ser?

D. DIEGO

Dices bien... ¿Y sabes tú lo que es una mujer aprovechada, hacendosa, que sepa cuidar de la casa, economizar, [10] estar en todo?... Siempre lidiando con

---

[9] "Porque, aquí entre los dos, la buena de Doña Irene se ha dado tal prisa a gastar desde que murió su marido que si no fuese por estas benditas Religiosas y el Canónigo de Castroxeriz, que es también su cuñado, no tendría para poner un puchero a la lumbre... Y muy vanidosa y muy remilgada, y hablando siempre de su parentela y de sus difuntos y sacando unos cuentos allá, que... Pero esto no es del caso... *Yo no he buscado dinero...*" (ed. de 1805 y 1806).

[10] Tendrá más bien el sentido de: cuidar de la economía doméstica.

amas, que si una es mala, otra es peor, regalonas, entremetidas, habladoras, llenas de histérico, viejas, feas como demonios... No señor, vida nueva. Tendré quien me asista con amor y fidelidad, y viviremos como unos santos... Y deja que hablen y murmuren y...

SIMÓN

Pero siendo a gusto de entrambos, ¿qué pueden decír?

D. DIEGO

No, yo ya sé lo que dirán; pero... Dirán que la boda es desigual, que no hay proporción en la edad, que...

SIMÓN

Vamos, que no me parece tan notable la diferencia. Siete u ocho años a lo más...

D. DIEGO

¡Qué, hombre! ¿Qué hablas de siete u ocho años? Si ella ha cumplido dieciséis años pocos meses ha.

SIMÓN

Y bien, ¿qué?

D. DIEGO

Y yo, aunque gracias a Dios estoy robusto y... Con todo eso, mis cincuenta y nueve años no hay quien me los quite.

SIMÓN

Pero si yo no hablo de eso.

D. DIEGO

Pues ¿de qué hablas?

SIMÓN

Decía que... Vamos, o usted no acaba de explicarse, o yo lo entiendo al revés... En suma, esta Doña Paquita, ¿con quién se casa? [11]

---

[11] La fuente más conocida de este equívoco es *L'Avare* de Molière (I, 4). Pero también nos trae al recuerdo el final del acto II de *L'école des femmes*.

D. DIEGO

¿Ahora estamos ahí? Conmigo.

SIMÓN

¿Con usted?

D. DIEGO

Conmigo.

SIMÓN

¡Medrados quedamos!

D. DIEGO

¿Qué dices?... Vamos, ¿qué?...

SIMÓN

¡Y pensaba yo haber adivinado!

D. DIEGO

Pues ¿qué creías? ¿Para quién juzgaste que la destinaba yo?

SIMÓN

Para D. Carlos, su sobrino de usted, mozo de talento, instruido, excelente soldado, amabilísimo por todas sus circunstancias... Para ese juzgué que se guardaba la tal niña.

D. DIEGO

Pues no señor.

SIMÓN

Pues bien está.

D. DIEGO

¡Mire usted qué idea! ¡Con el otro la había de ir a casar!... No señor; que estudie sus matemáticas. [12]

---

[12] "¿Cuál es el oficial a quien no conduzca saber la geografía, *las matemáticas*, así las especulativas, que constituyen al ingeniero, como la parte práctica de ellas, que el artillero necesita?"
(Cabarrús, *Cartas sobre los obstáculos que la naturaleza, la opinión y las leyes oponen a la felicidad pública*, ed., Bibl. de Filósofos españoles, M., 1938, p. 98).
Véase también J. J. Rousseau, *Les Confessions*, VII: "Zanetto, lascia le Donne, e studia la matematica".

SIMÓN

Ya las estudia; o, por mejor decir, ya las enseña.

D. DIEGO

Que se haga hombre de valor y...

SIMÓN

¡Valor! ¿Todavía pide usted más valor a un oficial que en la última guerra, [13] con muy pocos que se atrevieron a seguirle, tomó dos baterías, clavó los cañones, hizo algunos prisioneros, y volvió al campo lleno de heridas y cubierto de sangre?... Pues bien satisfecho quedó usted entonces del valor de su sobrino; y yo le vi a usted más de cuatro veces llorar de alegría cuando el rey le premió con el grado de teniente coronel [14] y una cruz de Alcántara.

D. DIEGO

Sí señor; todo es verdad; pero no viene a cuento. Yo soy el que me caso.

SIMÓN

Si está usted bien seguro de que ella le quiere, si no la asusta la diferencia de la edad, si su elección es libre...

D. DIEGO

Pues ¿no ha de serlo?... [15] ¿Y qué sacarían con engañarme? Ya ves tú la religiosa de Guadalajara si es

---

[13] ¿La de España y Francia con Inglaterra, o la lucha contra la Revolución Francesa? En realidad, no debe de ser una alusión precisa.

[14] Es decir que era desde entonces teniente coronel "graduado", y, como se verá más lejos, teniente "efectivo". El esposo de Francisca Muñoz, Francisco Valverde, era en 1816 teniente coronel graduado y capitán efectivo del regimiento de infantería de la Corona (véase nuestra ed. del epistolario moratiniano, M., Castalia, 1973). La primera graduación era meramente honorífica, pero al hacerse efectiva, se contaba la antigüedad a partir de la fecha del nombramiento, por lo que se hacía más rápido el ascenso a la graduación superior.

[15] "... Doña Irene la escribió con anticipación sobre el particular. Hemos ido allá, me ha visto, la han informado de cuanto ha querido saber; y ha respondido que está bien, que admite gustosa el partido que se le propone... Y ya ves tú con qué agrado me

mujer de juicio; ésta de Alcalá, aunque no la conozco, sé que es una señora de excelentes prendas; mira tú si Doña Irene querrá el bien de su hija; pues todas ellas me han dado cuantas seguridades puedo apetecer... La criada, que la ha servido en Madrid y más de cuatro años en el convento, se hace lenguas de ella; y sobre todo me ha informado de que jamás observó en esta criatura la más remota inclinación a ninguno de los pocos hombres que ha podido ver en aquel encierro. Bordar, coser, leer libros devotos, oír misa y correr por la huerta detrás de las mariposas, y echar agua en los agujeros de las hormigas, éstas han sido su ocupación y sus diversiones... ¿Qué dices?

SIMÓN

Yo nada, señor.

D. DIEGO

Y no pienses tú que, a pesar de tantas seguridades, no aprovecho las ocasiones que se presentan para ir ganando su amistad y su confianza, y lograr que se explique conmigo en absoluta libertad... Bien que aún hay tiempo... Sólo que aquella Doña Irene siempre la interrumpe; todo se lo habla... Y es muy buena mujer, buena...

SIMÓN

En fin, señor, yo desearé que salga como usted apetece.

D. DIEGO

Sí; yo espero en Dios que no ha de salir mal. Aunque el novio no es muy de tu gusto... ¡Y qué fuera de

---

trata, y qué expresiones me hace tan cariñosas y tan sencillas... Mira, Simón, si los matrimonios muy desiguales tienen por lo común desgraciada resulta, consiste en que alguna de las partes procede sin libertad, en que hay violencia, seducción, engaño, amenazas, tiranía doméstica... Pero aquí no hay nada de eso. Y ¿qué sacarían con engañarme?..." (ed. de 1805).

Recuérdese que Moratín tradujo parte de una comedia de su amigo Napoli Signorelli, *La tiranía doméstica*, en la que se censura la codicia de una familia que impone la clausura a una niña para poder observar la ley del mayorazgo.

tiempo me recomendabas al tal sobrinito! ¿Sabes tú lo enfadado que estoy con él?

SIMÓN

Pues ¿qué ha hecho?

D. DIEGO

Una de las suyas... Y hasta pocos días ha no lo he sabido. El año pasado, ya lo viste. estuvo dos meses en Madrid... Y me costó buen dinero la tal visita... En fin, es mi sobrino, bien dado está; pero voy al asunto. Llegó el caso de irse a Zaragoza su regimiento... Ya te acuerdas de que a muy pocos días de haber salido de Madrid recibí la noticia de su llegada.

SIMÓN

Sí, señor.

D. DIEGO

Y que siguió escribiéndome, aunque algo perezoso, siempre con la data de Zaragoza.

SIMÓN

Así es la verdad.

D. DIEGO

Pues el pícaro no estaba allí cuando me escribía las tales cartas.

SIMÓN

¿Qué dice usted?

D. DIEGO

Sí señor. El día tres de Julio salió de mi casa, y a fines de septiembre aún no había llegado a sus pabellones... ¿No te parece que para ir por la posta hizo muy buena diligencia?

SIMÓN

Tal vez se pondría malo en el camino, y por no darle a usted pesadumbre...

D. DIEGO

Nada de eso. Amores del señor oficial y devaneos que le traen loco... Por ahí en esas ciudades puede que... ¿Quién sabe? Si encuentra un par de ojos negros, ya es hombre perdido... ¡No permita Dios que me le engañe alguna bribona de estas que truecan el honor por el matrimonio!

SIMÓN

¡Oh!, no hay que temer... Y si tropieza con alguna fullera de amor, buenas cartas ha de tener para que le engañe.

D. DIEGO

Me parece que están ahí... Sí. Busca al mayoral, y dile que venga, para quedar de acuerdo en la hora a que deberemos salir mañana.

SIMÓN

Bien está.

D. DIEGO

Ya te he dicho que no quiero que esto se trasluzca, ni... ¿Estamos?

SIMÓN

No haya miedo que a nadie lo cuente.

(Simón se va por la puerta del foro. Salen por la misma las tres mujeres con mantillas y basquiñas. [16] *Rita deja un pañuelo atado sobre la mesa, y recoge las mantillas y las dobla.)*

---

[16] Las dos prendas típicas de la española de la clase media.

ESCENA II

DOÑA IRENE, DOÑA FRANCISCA, RITA, D. DIEGO

DOÑA FRANCISCA

Ya estamos acá.

DOÑA IRENE

¡Ay! ¡qué escalera!

D. DIEGO

Muy bien venidas, señoras.

DOÑA IRENE

¿Conque usted, a lo que parece, no ha salido? *(Se sientan D.ª Irene y D. Diego.)*

D. DIEGO

No, señora. Luego, más tarde, daré una vueltecilla por ahí... He leído un rato. Traté de dormir, pero en esta posada no se duerme.

DOÑA FRANCISCA

Es verdad que no... ¡Y qué mosquitos! Mala peste en ellos. Anoche no me dejaron parar... Pero mire usted, mire usted *(Desata el pañuelo y manifiesta algunas cosas de las que indica el diálogo)* cuántas cosillas traigo. Rosarios de nácar, cruces de ciprés, la regla de S. Benito, una pililla de cristal... Mire usted qué bonita. Y dos corazones de talco... ¡Qué sé yo cuánto viene aquí!... ¡Ay!, y una campanilla de barro bendito para los truenos... [17] ¡Tantas cosas!

---

[17] "El poner en ridículo la creencia tonta de que una campanilla de barro nos pueda librar de los truenos, ¿es pecar contra la fe?" (*Juicio imparcial del juicio antecedente*, copia de Moratín, B. N. M., ms. 18666/2).

DOÑA IRENE

Chucherías [18] que la han dado las madres. Locas estaban con ella.

DOÑA FRANCISCA

¡Cómo me quieren todas! ¡Y mi tía, mi pobre tía lloraba tanto!... Es ya muy viejecita.

DOÑA IRENE

Ha sentido mucho no conocer a usted.

DOÑA FRANCISCA

Sí, es verdad. Decía: ¿por qué no ha venido aquel señor?

DOÑA IRENE

El padre capellán y el rector de los Verdes [19] nos han venido acompañando hasta la puerta.

DOÑA FRANCISCA

Toma *(Vuelve a atar el pañuelo y se le da a Rita, la cual se va con él y con las mantillas al cuarto de D.ª Irene)*, guárdamelo todo allí, en la escusabaraja. Mira, llévalo así de las puntas... ¡Válgate Dios! ¡Eh! ¡Ya se ha roto la santa Gertrudis de alcorza! [20]

RITA

No importa; yo me la comeré.

Cf. Jovellanos, *Diarios*, 10 de mayo de 1795 (B. A. E., LXXXV, p. 267):

"...tocaron a hielo; aquí se cree que las campanas mandan sobre todos los accidentes naturales del clima y la estación".

Esta enumeración de "chucherías", como las llama D.ª Irene, debe relacionarse con la lucha entablada por los ilustrados contra una religiosidad excesivamente fetichista.

[18] "No es de lo más pío ni benévolo aquella entrada de D.ª Paquita con el pañuelo lleno de Stos. de alcorza, estampas y demás que en la comedia se llaman chucherías de monjas con cierto tono que maldita la cosa me gusta" (Crítica copiada por Moratín, B. N. M., ms. 18666/2).

[19] El colegio de Santa Catalina, llamado de los Verdes, en Alcalá.

[20] Este pormenor nos trae al recuerdo la costumbre que según W. Coxe (*L'Espagne sous les rois de la maison de Bourbon*, V,

ESCENA III

DOÑA IRENE, DOÑA FRANCISCA, D. DIEGO

DOÑA FRANCISCA

¿Nos vamos adentro, mamá, o nos quedamos aquí?

DOÑA IRENE

Ahora, niña, que quiero descansar un rato.

D. DIEGO

Hoy se ha dejado sentir el calor en forma.

DOÑA IRENE

¡Y qué fresco tienen aquel locutorio! [21] Está hecho un cielo... *(Siéntase D.ª Francisca junto a su madre.)* Mi hermana es la que [22] sigue siempre bastante delicada. Ha padecido mucho este invierno... Pero, vaya, no sabía qué hacerse con su sobrina la buena señora. Está muy contenta de nuestra elección.

---

p. 50) tenían las monjas españolas de llevar consigo un Jesús de cera al que se entretenían en vestir como a un muñeco. Parece mera variante de la tradición de los cristos vestidos y adornados por los feligreses.

[21] "Vaya, está hecho un cielo.

Fran.—Pues, con todo (I), aquella monja tan gorda que se llama la madre Angustias, bien sudaba ...¡Ay! ¡cómo sudaba la pobre muger!

(I) *Sentándose junto a Doña Irene*" (ed. de 1805 y 1806).

Ruiz Morcuende, en su edición del *Teatro* de Moratín (Clás. cast., M., 1933, p. 160), escribe que este párrafo "fue suprimido por Moratín temeroso del Santo Oficio". De ser así, podía restablecerlo en 1825, ya que la edición de dicho año se hizo en París; por otra parte, la comedia contiene alfilerazos más recios que éste. El autor se daría más bien cuenta de que el evidente mal gusto de la alusión acababa de aniquilar su ya escasa fuerza satírica o cómica. Y la suprimió.

[22] "... está bastante delicadita" (ed. de 1805 y 1806).

D. DIEGO

Yo celebro que sea tan a gusto de aquellas personas a quienes debe usted particulares obligaciones.

DOÑA IRENE

Sí, Trinidad está muy contenta; y en cuanto a Circuncisión, [23] ya lo ha visto usted. La ha costado mucho despegarse de ella; pero ha conocido que siendo para su bienestar, es necesario pasar por todo... Ya se acuerda usted de lo expresiva que estuvo, y... [24]

D. DIEGO

Es verdad. Sólo falta que la parte interesada tenga la misma satisfacción que manifiestan cuantos la quieren bien.

DOÑA IRENE

Es hija obediente, y no se apartará jamás de lo que determine su madre.

D. DIEGO

Todo eso es cierto; pero...

DOÑA IRENE

Es de buena sangre, y ha de pensar bien, y ha de proceder con el honor que la corresponde.

D. DIEGO

Sí, ya estoy; pero ¿no pudiera, sin faltar a su honor ni a su sangre...?

---

[23] "Los nombres poco usitados de que se vale el autor para nombrar a ciertas monjas manifiestan sus deseos de hacer ridícula la buena práctica de los conventos en la adopción de los sobrenombres de santos..." (Crítica copiada por Moratín, ms. cit.).
   Es también opinión del censor eclesiástico de 1818, P.e Joseph Tolrá (Arch. Nac., Madrid, *Inquisición*, 4484/23).—
[24] Nótese cómo se ha ido sugiriendo el verdadero problema: después de hablar de "*nuestra* elección", como parte interesada, D.ª Irene alude al parecer de las monjas. Del de la niña, esto es, de lo esencial, no se ha tratado aún. De ahí la interrupción de D. Diego.

DOÑA FRANCISCA

¿Me voy, mamá? (*Se levanta y vuelve a sentarse.*)

DOÑA IRENE

No pudiera, no señor. Una niña bien educada, hija de buenos padres, no puede menos de conducirse en todas ocasiones como es conveniente y debido. Un vivo retrato es la chica, ahí donde usted la ve, de su abuela que Dios perdone, Doña Jerónima de Peralta... [25] En casa tengo el cuadro, ya le habrá usted visto. Y le hicieron, según me contaba su merced, [26] para enviársele a su tío carnal el padre fray Serapión de S. Juan Crisóstomo, electo obispo de Mechoacán. [27]

D. DIEGO

Ya.

DOÑA IRENE

Y murió en el mar el buen religioso, que fue un quebranto para toda la familia... Hoy es, y todavía estamos sintiendo su muerte; particularmente mi primo D. Cucufate, regidor perpetuo de Zamora, [28] no puede oír hablar de su Ilustrísima sin deshacerse en lágrimas.

[25] Isabel de Peralta se llamaba la dama de *Entre bobos anda el juego*, de Rojas Zorrilla (véase *Introd.*, p. 142).
[26] Tratamiento corriente. Lo usa por ejemplo Mesonero Romanos al hablar de su padre en sus *Memorias de un setentón*.
[27] Recuérdese el *D. Serapio* de *La comedia nueva*. Las dimensiones del nombre y del título dejan traslucirse además una leve ironía. Por otra parte, existía verdaderamente el cargo de obispo electo de Mechoacán: se llamaba el titular en la época de *El sí de las niñas* Benito María de Moxó y Francolí (A. H. N., Orden de Carlos III, 1218). Pero se inspira indudablemente el autor en la biografía de los padres de Paquita Muñoz; a la madre, María Ortiz, la aconseja en 1822 que "cuente a su yerno el viaje de el Guárico y el de Veracruz, y aquello de el obispo que tomó el brevage del indio y cagó los kiries..." (B. N. M., ms. 7783, carta 41).
Como S. Juan Crisóstomo, San Serapión fue monje y obispo; además, se le dio el apodo de Escolástico. ¿Coincidencia? No lo creemos.
[28] Es de suponer que pocos españoles llevarían tal nombre, "afectado e inverosímil en una comedia en prosa lisa y llana" (*Carta crítica...*, ms. cit., p. 13).

DOÑA FRANCISCA

Válgate Dios, qué moscas tan...

DOÑA IRENE

Pues murió en olor de santidad.

D. DIEGO

Eso bueno es. [29]

DOÑA IRENE

Sí señor; pero como la familia ha venido tan a menos... ¿Qué quiere usted? Donde no hay facultades... Bien que por lo que puede tronar, [30] ya se le está escribiendo la vida; y ¿quién sabe que el día de mañana no se imprima, con el favor de Dios?

D. DIEGO

Sí, pues ya se ve. Todo se imprime. [31]

DOÑA IRENE

Lo cierto es que el autor, que es sobrino de mi hermano político el canónigo de Castrojeriz, no la deja de la mano; y a la hora de ésta lleva ya escritos nueve tomos en folio, que comprenden los nueve años primeros de la vida del santo obispo.

D. DIEGO

¿Conque para cada año un tomo?

[29] Nótese la ironía de Moratín. La frase que sigue constituye una sátira —prudente— de las canonizaciones, mejor dicho de su aspecto financiero, al parecer fundamental según se desprende del texto.

[30] "Por lo que pudiere tronar. Phrase que vale lo mismo que por lo que sucediere, o acaeciere; y es un modo de prevenirse, para que no coja descuidado..." (*Dic. Autorid.*⁸).

[31] La frase no sólo alude a la inutilidad de la biografía del obispo, sino a la multitud de obras que se publican sin merecerlo, según parecer de Moratín y sus amigos, los cuales habían fundado la sociedad de los Acalófilos, esto es, amantes de lo feo, cuya actividad consistía en leer y comentar dichos "abortos". Además se encargaba a D. Leandro, por aquel entonces, la censura de varios manuscritos.

DOÑA IRENE

Sí, señor; ese plan se ha propuesto.

D. DIEGO

¿Y de qué edad murió el venerable?

DOÑA IRENE

De ochenta y dos años, tres meses y catorce días. [32]

DOÑA FRANCISCA

¿Me voy, mamá?

DOÑA IRENE

Anda, vete. ¡Válgate Dios, qué prisa tienes!

DOÑA FRANCISCA

¿Quiere usted *(Se levanta, y después de hacer una graciosa cortesía a D. Diego, da un beso a D.ª Irene, y se va al cuarto de ésta)* que le haga una cortesía a la francesa, [33] señor D. Diego?

D. DIEGO

Sí, hija mía. A ver.

DOÑA FRANCISCA

Mire usted, así.

[32] "... es verdad que hay algunas vidas de santos tan largas como las esperanzas del pobre" (Crítica de *El sí de las niñas*, ms. cit.).

Cf. *Gaceta de Madrid*, 10 de sept. de 1799: "...El jueves 5 del corriente ha recibido el rey con sumo dolor la infausta noticia del fallecimiento de nuestro santísimo padre Pío VI, acaecida el 29 de agosto último en Valencia del Droma en Francia a la una y media de aquel día, a los 81 años 8 meses y 2 días de edad, y a los 24 años 6 meses y 14 días de su pontificado..."

Menéndez y Pelayo, con su *Historia de los Heterodoxos*, M., Suárez, 1930, VI, p. 229, alude a una biografía del arzobispo Félix Amat escrita por su sobrino "en dos gruesos volúmenes que... a veces por la prolijidad de los detalles recuerdan un poco aquella biografía del Obispo de Mechoacán, de que habla Moratín en *El sí de las niñas*".

[33] Que le han enseñado en el convento, por supuesto.

D. DIEGO

¡Graciosa niña! ¡Viva la Paquita, viva!

DOÑA FRANCISCA

Para usted una cortesía, y para mi mamá un beso.

ESCENA IV

DOÑA IRENE, D. DIEGO

DOÑA IRENE

Es muy gitana y muy mona, mucho.

D. DIEGO

Tiene un donaire natural que arrebata.

DOÑA IRENE

¿Qué quiere usted? Criada sin artificio ni embelecos de mundo, contenta de verse otra vez al lado de su madre, y mucho más de considerar tan inmediata su colocación, no es maravilla que cuanto hace y dice sea una gracia, y *máxime* a los ojos de usted, que tanto se ha empeñado en favorecerla.

D. DIEGO

Quisiera sólo que se explicase libremente acerca de nuestra proyectada unión, y...

DOÑA IRENE

Oiría usted lo mismo que le he dicho ya.

D. DIEGO

Sí, no lo dudo; pero el saber que la merezco alguna inclinación, oyéndoselo decir con aquella boquilla tan graciosa que tiene, sería para mí una satisfacción imponderable.

DOÑA IRENE

No tenga usted sobre ese particular la más leve desconfianza; pero hágase usted cargo de que a una niña no la es lícito decir con ingenuidad lo que siente. Mal parecería, señor D. Diego, que una doncella de vergüenza y criada como Dios manda, se atreviese a decirle a un hombre: yo le quiero a usted.

D. DIEGO

Bien; si fuese un hombre a quien hallara por casualidad en la calle y le espetara ese favor de buenas a primeras, cierto que la doncella haría muy mal; pero a un hombre con quien ha de casarse dentro de pocos días, ya pudiera decirle alguna cosa que... Además, que hay ciertos modos de explicarse...

DOÑA IRENE

Conmigo usa de más franqueza. A cada instante hablamos de usted, y en todo manifiesta el particular cariño que a usted le tiene... ¡Con qué juicio hablaba ayer noche, después que usted se fue a recoger! No sé lo que hubiera dado porque hubiese podido oírla.

D. DIEGO

¿Y qué? ¿Hablaba de mí?

DOÑA IRENE

Y qué bien piensa acerca de lo preferible que es para una criatura de sus años un marido de cierta edad, experimentado, maduro y de conducta...

D. DIEGO

¡Calle! ¿Eso decía?

DOÑA IRENE

No; esto se lo decía yo, y me escuchaba con una atención como si fuera una mujer de cuarenta años, lo mismo... ¡Buenas cosas la dije! Y ella, que tiene mu-

cha penetración, aunque me esté mal el decirlo... ¿Pues
no da lástima, señor, el ver cómo se hacen los matrimonios hoy en el día? Casan a una muchacha de quince
años con un arrapiezo de dieciocho, a una de diecisiete
con otro de veintidós: ella niña, sin juicio ni experiencia, y él niño también, sin asomo de cordura ni conocimiento de lo que es mundo. Pues, señor (que es lo
que yo digo), ¿quién ha de gobernar la casa? ¿Quién
ha de mandar a los criados? ¿Quién ha de enseñar y
corregir a los hijos? Porque sucede también que estos
atolondrados de chicos suelen plagarse de criaturas en
un instante, que da compasión. [34]

D. DIEGO

Cierto que es un dolor el ver rodeados de hijos a muchos que carecen del talento, de la experiencia y de la
virtud que son necesarias para dirigir su educación.

DOÑA IRENE

Lo que sé decirle a usted es que aún no había cumplido
los diecinueve cuando me casé de primeras nupcias con
mi difunto D. Epifanio, que esté en el cielo. Y era un
hombre que, mejorando lo presente, no es posible hallarle de más respeto, más caballeroso... Y al mismo
tiempo más divertido y decidor. Pues, para servir a
usted, ya tenía los cincuenta y seis, muy largos de talle,
cuando se casó conmigo.

D. DIEGO

Buena edad... No era un niño; pero...

DOÑA IRENE

Pues a eso voy... Ni a mí podía convenirme en aquel
entonces un boquirrubio con los cascos a la jineta... No
señor... Y no es decir tampoco que estuviese achacoso
ni quebrantado de salud, nada de eso. Sanito estaba,

---

[34] Esta escena tiene antecedentes en *L'avare*, en *L'école des
mères* de Marivaux, etc.

gracias a Dios, como una manzana; ni en su vida conoció otro mal, sino una especie de alferecía que le
amagaba de cuando en cuando. Pero luego que nos
casamos, dio en darle tan a menudo y tan de recio,
que a los siete meses me hallé viuda y encinta de una
criatura que nació después, y al cabo y al fin se me
murió de alfombrilla. [35]

D. DIEGO

¡Oiga!... Mire usted si dejó sucesión el bueno de Don
Epifanio.

DOÑA IRENE

Sí señor; ¿pues por qué no?

D. DIEGO

Lo digo porque luego saltan con... Bien que si uno
hubiera de hacer caso... ¿Y fue niño, o niña?

DOÑA IRENE

Un niño muy hermoso. Como una plata era el angelito.

D. DIEGO

Cierto que es consuelo tener, así, una criatura y...

DOÑA IRENE

¡Ay, señor! Dan malos ratos, pero ¿qué importa? Es
mucho gusto, mucho.

D. DIEGO

Yo lo creo.

DOÑA IRENE

Sí señor.

D. DIEGO

Ya se ve que será una delicia y...

DOÑA IRENE

¿Pues no ha de ser?

[35] *Alfombrilla*: escarlatina.

D. DIEGO

...un embeleso el verlos juguetear y reír, y acariciarlos, y merecer sus fiestecillas inocentes. [36]

DOÑA IRENE

¡Hijos de mi vida! Veintidós he tenido en los tres matrimonios que llevo hasta ahora, [37] de los cuales sólo esta niña me ha venido a quedar; pero le aseguro a usted que... [38]

ESCENA V

SIMÓN, DOÑA IRENE, D. DIEGO

SIMÓN

(Sale por la puerta del foro.)

Señor, el mayoral [39] está esperando.

---

[36] Nótese con qué delicadeza se sugiere el amor paternal hasta entonces defraudado del solterón y sobre todo la pérdida *progresiva* de su prudencia ante la evocación de una posible paternidad; primero trata de convencerse, contra la opinión corriente, de que puede tener sucesión; habla en términos generales: "es consuelo tener... *una* criatura" y sigue dialogando con D.ª Irene; luego empieza a soñar despierto, mejor dicho, el sueño va tomando consistencia de realidad: "Ya se ve que *será* una delicia" (se trata de un futuro pleno, no de una suposición); ya no oye a D.ª Irene ("una delicia y... un embeleso"); ya son *varias* las criaturas que le ha de dar Francisca ("...el *verlos* juguetear"). Por fin habla más bien como abuelo que como padre, y esto corresponde perfectamente al intento de Moratín.

[37] "Hasta *ahora*": ¡es decir que aún queda lugar para un cuarto matrimonio!
Lo de veintidós es exageración manifiesta para provocar la risa de los oyentes; pero no se olvide que las familias numerosas eran entonces más frecuentes que hoy día, aunque actuaba de contrapeso la terrible mortalidad infantil. El propio D. Leandro tuvo tres hermanos que murieron de corta edad.

[38] Estas interrupciones van destinadas a infundir la sensación de un diálogo corriente, cotidiano, real (la "ilusión" tan preciada de los dramaturgos neoclásicos). El autor de la *Carta crítica...* censuró el uso sistemático de los puntos suspensivos.

[39] El del coche de alquiler.

D. DIEGO

Dile que voy allá... ¡Ah! Tráeme primero el sombrero y el bastón, que quisiera dar una vuelta por el campo. *(Entra Simón al cuarto de D. Diego, saca un sombrero y un bastón, se los da a su amo, y al fin de la escena se va con él por la puerta del foro.)* Con que, supongo que mañana tempranito saldremos.

DOÑA IRENE

No hay dificultad. A la hora que a usted le parezca.

D. DIEGO

A eso de las seis. ¿Eh?

DOÑA IRENE

Muy bien.

D. DIEGO

El sol nos da de espaldas... Le diré que venga una media hora antes.

DOÑA IRENE

Sí, que hay mil chismes que acomodar.

ESCENA VI

DOÑA IRENE, RITA

DOÑA IRENE

¡Válgame Dios! Ahora que me acuerdo... ¡Rita!... Me le habrán dejado morir. ¡Rita!

RITA

Señora. *(Saca debajo del brazo almohadas y sábanas.)*

DOÑA IRENE

¿Qué has hecho del tordo? ¿Le diste de comer?

RITA

Sí, señora. Más ha comido que un avestruz. Ahí le puse en la ventana del pasillo.

DOÑA IRENE

¿Hiciste las camas?

RITA

La de usted ya está. Voy a hacer esotras antes que anochezca, porque si no, como no hay más alumbrado que el del candil y no tiene garabato, me veo perdida.

DOÑA IRENE

Y aquella chica, ¿qué hace?

RITA

Está desmenuzando un bizcocho para dar de cenar a D. Periquito.

DOÑA IRENE

¡Qué pereza tengo de escribir! *(Se levanta y se entra en su cuarto.)* Pero es preciso, que estará con mucho cuidado la pobre Circuncisión.

RITA

¡Qué chapucerías! No ha dos horas, como quien dice, que salimos de allá, y ya empiezan a ir y venir correos. ¡Qué poco me gustan a mí las mujeres gazmoñas y zalameras! *(Éntrase en el cuarto de D.ª Francisca.)*

ESCENA VII

CALAMOCHA

*(Sale por la puerta del foro con unas maletas, botas
y látigos. Lo deja todo sobre la mesa y se sienta.)*

¿Conque ha de ser el número tres? Vaya en gracia...
Ya, ya conozco el tal número tres. Colección de bichos
más abundante no la tiene el Gabinete de Historia Natural... [40] Miedo me da de entrar... ¡Ay!, ¡ay!... ¡Y
qué agujetas! Estas sí que son agujetas... Paciencia,
pobre Calamocha; paciencia... Y gracias a que los
caballitos dijeron: no podemos más; que si no, por
esta vez no veía yo el número tres, ni las plagas de
Faraón [41] que tiene dentro... En fin, como los animales
amanezcan vivos, no será poco... Reventados están...
*(Canta Rita desde adentro. Calamocha se levanta des-
perezándose.)* ¡Oiga!... ¿Seguidillitas?... Y no canta
mal... Vaya, aventura tenemos... ¡Ay, qué desvencija-
do estoy!

ESCENA VIII

RITA, CALAMOCHA

RITA

Mejor es cerrar, no sea que nos alivien de ropa, y...
(Forcejeando para echar la llave.) Pues cierto que está
bien acondicionada la llave.

---

[40] Los parásitos eran huéspedes muy habituales en las posadas
de la época, según los contemporáneos, tanto españoles como extranjeros.
[41] Sabido es que de las diez plagas de Egipto (*Exodo*, VII-
XII). cuatro fueron invasiones de ranas, mosquitos, moscas, y, por
fin, langostas.
La alusión al Gabinete de Historia Natural es también caracte-
rística de la época.

CALAMOCHA

¿Gusta usted de que eche una mano, mi vida?

RITA

Gracias, mi alma.

CALAMOCHA

¡Calle!... ¡Rita!

RITA

¡Calamocha!

CALAMOCHA

¿Qué hallazgo es éste?

RITA

¿Y tu amo?

CALAMOCHA

Los dos acabamos de llegar.

RITA

¿De veras?

CALAMOCHA

No, que es chanza. Apenas recibió la carta de Doña Paquita, yo no sé adónde fue, ni con quién habló, ni cómo lo dispuso; sólo sé decirte que aquella tarde salimos de Zaragoza. Hemos venido como dos centellas por ese camino. Llegamos esta mañana a Guadalajara, y a las primeras diligencias nos hallamos con que los pájaros volaron ya. A caballo otra vez, y vuelta a correr y a sudar y a dar chasquidos... En suma, molidos los rocines, y nosotros a medio moler, hemos parado aquí con ánimo de salir mañana... Mi teniente se ha ido al Colegio Mayor a ver a un amigo, mientras se dispone algo que cenar... Esta es la historia.

RITA

¿Conque le tenemos aquí?

CALAMOCHA

Y enamorado más que nunca, celoso, amenazando vidas... Aventurado a quitar el hipo a cuantos le disputen la posesión de su Currita idolatrada.

RITA

¿Qué dices?

CALAMOCHA

Ni más ni menos.

RITA

¡Qué gusto que das!... Ahora sí se conoce que la tiene amor.

CALAMOCHA

¿Amor?... ¡Friolera!... El moro Gazul fue para con él un pelele, Medoro un zascandil y Gaiferos un chiquillo de la doctrina. [42]

RITA

¡Ay!, ¡cuando la señorita lo sepa!

CALAMOCHA

Pero acabemos. ¿Cómo te hallo aquí? ¿Con quién estás? ¿Cuándo llegaste? Que...

RITA

Yo te lo diré. La madre de Doña Paquita dio en escribir cartas y más cartas, diciendo que tenía concertado su casamiento en Madrid con un caballero rico, honrado, bien quisto, en suma, cabal y perfecto, que no había más que apetecer. Acosada la señorita con

---

42 El primero es héroe de varios romances moriscos; el segundo, personaje del *Orlando furioso*, del Ariosto, fue celebrado por Góngora en su romance *Angélica y Medoro*; del tercero tratan los romances viejos; Gaiferos libertó a su esposa Melisendra, prisionera de los moros (véase el episodio del retablo de Maese Pedro en el *Quijote*).

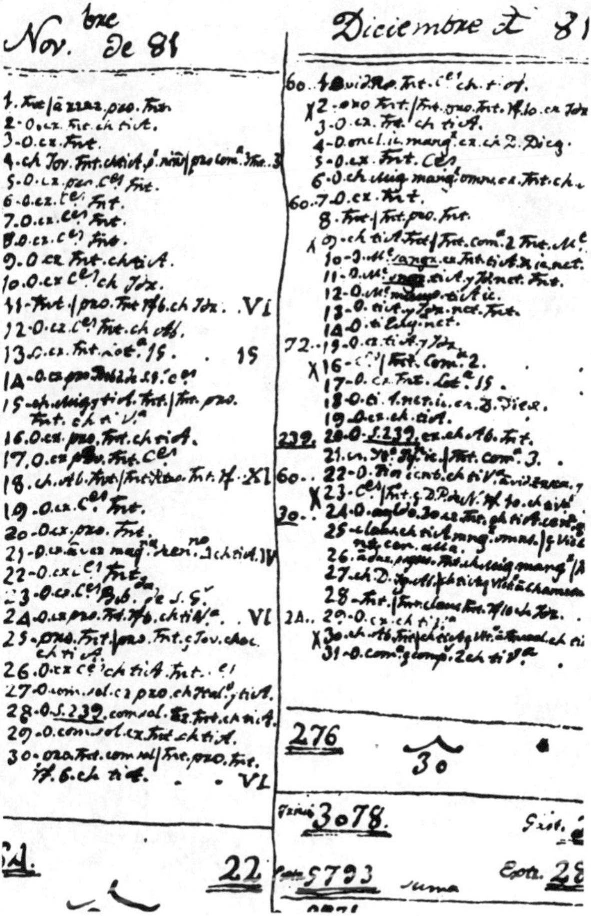

Nov.bre de 81

Diciembre de 81

Página autógrafa del *Diario* de Moratín

*Escena de come-
dia*, por un dis-
cípulo de Goya.

Museo del Prado,
Madrid

tales propuestas, y angustiada incesantemente con los sermones de aquella bendita monja, se vio en la necesidad de responder que estaba pronta a todo lo que la mandasen... Pero no te puedo ponderar cuánto lloró la pobrecita, qué afligida estuvo. Ni quería comer, ni podía dormir... Y al mismo tiempo era preciso disimular, para que su tía no sospechara la verdad del caso. Ello es que cuando, pasado el primer susto, hubo lugar de discurrir escapatorias y arbitrios, no hallamos otro que el de avisar a tu amo, esperando que si era su cariño tan verdadero y de buena ley como nos había ponderado, no consentiría que su pobre Paquita pasara a manos de un desconocido, y se perdiesen para siempre tantas caricias, tantas lágrimas y tantos suspiros estrellados en las tapias del corral. A pocos días de haberle escrito, cata el coche de colleras [43] y el mayoral Gasparet [44] con sus medias azules, y la madre y el novio que vienen por ella; recogimos a toda prisa nuestros meriñaques, se atan los cofres, nos despedimos de aquellas buenas mujeres, y en dos latigazos llegamos antes de ayer a Alcalá. La detención ha sido para que la señorita visite a otra tía monja que tiene aquí, tan arrugada y tan sorda como la que dejamos allá. Ya la ha visto, ya la han besado bastante una por

---

[43] "...un équipage peu élégant, que les Espagnols nomment *coche de Colleras* et dont l'apprentissage coûte quelques moments d'inquiétude. C'est une voiture plus solide que commode, attelée de six mules, qui n'ont d'autre stimulant et d'autre frein que la voix de leurs conducteurs. A les voir attachées entr'elles et au timon par de simples cordes, errer comme à l'aventure sur les routes tortueuses et quelquefois peu frayées de la Péninsule, le voyageur se croit d'abord abandonné aux seuls soins de la providence..." (J. F. Bourgoing, *Tableau de l'Espagne moderne*, P., 3° ed. 1803, p. 2-3).

Según Antonio Alcalá Galiano (*Recuerdos de un anciano*, B. A. E., LXXXIII, p. 50) era un medio de transporte "por cierto no barato" que utilizaban las "familias decentes".

[44] Diminutivo catalán, o levantino. Sabido es que muchos catalanes efectuaban los transportes tanto de viajeros como de mercancías. Guadalajara era además una posta en el camino de Aragón y Cataluña.

Es de suponer que si Moratín nombra al mayoral, se trataba de un personaje real. Así se aumenta la "ilusión".

una todas las religiosas, [45] y creo que mañana temprano saldremos. Por esta casualidad nos...

CALAMOCHA

Sí. No digas más... Pero... ¿Conque el novio está en
la posada?

RITA

Ése es su cuarto (*Señalando el cuarto de D. Diego, el
de D.ª Irene y el de D.ª Francisca.*), éste el de la madre
y aquél el nuestro.

CALAMOCHA

¿Cómo nuestro? ¿Tuyo y mío? [46]

RITA

No, por cierto. Aquí dormiremos esta noche la señorita y yo; porque ayer, metidas las tres en ese de
enfrente, ni cabíamos de pie, ni pudimos dormir un
instante, ni respirar siquiera.

CALAMOCHA

Bien. Adiós. (*Recoge los trastos que puso sobre la mesa
en ademán de irse.*)

RITA

Y ¿adónde?

CALAMOCHA

Yo me entiendo... Pero, el novio, ¿trae consigo criados, amigos o deudos que le quiten la primera zambullida [47] que le amenaza?

---

45 Nótese cómo esta leve sátira se pone en boca de una criada
por tener ésta menos responsabilidad que los principales protagonistas pero también por representar Rita y Calamocha la naturaleza
sana y libre de prejuicios.
46 Cierta fidelidad a la tradición.
47 Término de esgrima: golpe al pecho.

y bien he procurado hasta ahora mostrarme contenta delante de él, que no lo estoy por cierto, y reírme y hablar niñerías... Y todo por dar gusto a mi madre, que si no... Pero bien sabe la Virgen que no me sale del corazón.

(Se va obscureciendo lentamente el teatro)

RITA

Vaya, vamos, que no hay motivos todavía para tanta angustia... ¿Quién sabe?... ¿No se acuerda usted ya de aquel día de asueto que tuvimos el año pasado en la casa de campo del intendente? [50]

DOÑA FRANCISCA

¡Ay! ¿Cómo puedo olvidarlo?... Pero ¿qué me vas a contar?

RITA

Quiero decir que aquel caballero que vimos allí con aquella cruz verde, [51] tan galán, tan fino...

DOÑA FRANCISCA

¡Qué rodeos!... D. Félix. ¿Y qué?

RITA

Que nos fue acompañando hasta la ciudad...

DOÑA FRANCISCA

Y bien... Y luego volvió, y le vi, por mi desgracia, muchas veces... Mal aconsejada de ti. [52]

RITA

¿Por qué, señora?... ¿A quién dimos escándalo? Hasta ahora nadie lo ha sospechado en el convento. Él no

---

[50]   El intendente de ejército (véase III, 10).
[51]   La de Alcántara.
[52]   Rasgo tradicional. Además, contribuye, como las siguientes frases de Rita, a hacer resaltar la inocencia de la niña.

entró jamás por las puertas, y cuando de noche hablaba con usted, mediaba entre los dos una distancia tan grande, que usted la maldijo no pocas veces... Pero esto no es del caso. Lo que voy a decir es que un amante como. aquél no es posible que se olvide tan presto de su querida Paquita... Mire usted que todo cuanto hemos leído a hurtadillas en las novelas [53] no equivale a lo que hemos visto en él... ¿Se acuerda usted de aquellas tres palmadas que se oían entre once y doce de la noche, de aquella sonora [54] punteada con tanta delicadeza y expresión?

DOÑA FRANCISCA

¡Ay, Rita! Sí, de todo me acuerdo, y mientras viva conservaré la memoria... Pero está ausente... y entretenido acaso con nuevos amores.

RITA

Eso no lo puedo yo creer.

DOÑA FRANCISCA

Es hombre, al fin, y todos ellos...

RITA

¡Qué bobería! Desengáñese usted, señorita. Con los hombres y las mujeres sucede lo mismo que con los melones de Añover. [55] Hay de todo; la dificultad está en

---

[53] Serían las amorosas de María de Zayas y de Pérez de Montalbán, a cuya lectura culpable se entregaba también D.ª Clara en *La mojigata*, según los manuscritos primitivos (I, I).

[54] *Sonora*: variedad de guitarra.

[55] "El melón i el kasamiento, azertamiento.
El melón i la muxer, malos son de konozer.
El melón i el kasar, todo es azertar" (*etc.*)

        (Correas, *Vocabulario*, ed. L. Combet, 1967).

"*Diana* ¿Añover?
Polilla   El me crió,
que en este lugar extraño
se ven melones cada año..."

        (Moreto, *El desdén con el desdén*, I, 5).

saber escogerlos. El que se lleve chasco en la elección, quéjese de su mala suerte, pero no desacredite la mercancía... Hay hombres muy embusteros, muy picarones; pero no es creíble que lo sea el que ha dado pruebas tan repetidas de perseverancia y amor. Tres meses duró el terrero y la conversación a obscuras, y en todo aquel tiempo, bien sabe usted que no vimos en él una acción descompuesta, ni oímos de su boca una palabra indecente ni atrevida. [56]

DOÑA FRANCISCA

Es verdad. Por eso le quise tanto, por eso le tengo tan fijo aquí..., aquí... *(Señalando el pecho.)* ¿Qué habrá dicho al ver la carta?... ¡Oh! Yo bien sé lo que habrá dicho...: ¡Válgate Dios! ¡Es lástima! Cierto. ¡Pobre Paquita!... Y se acabó... No habrá dicho más... Nada más.

RITA

No, señora; no ha dicho eso.

DOÑA FRANCISCA

¿Qué sabes tú?

RITA

Bien lo sé. Apenas haya leído la carta se habrá puesto en camino, y vendrá volando a consolar a su amiga... Pero... *(Acercándose a la puerta del cuarto de D.ª Irene.)*

DOÑA FRANCISCA

¿Adónde vas?

RITA

Quiero ver si...

DOÑA FRANCISCA

Está escribiendo.

[56] Nótese la ejemplaridad del personaje.

RITA

Pues ya presto habrá de dejarlo, que empieza a anochecer... Señorita, lo que la he dicho a usted es la verdad pura. D. Félix está ya en Alcalá.

DOÑA FRANCISCA

¿Qué dices? No me engañes.

RITA

Aquél es su cuarto... Calamocha acaba de hablar conmigo.

DOÑA FRANCISCA

¿De veras?

RITA

Sí, señora... Y le ha ido a buscar para...

DOÑA FRANCISCA

¿Conque me quiere?... ¡Ay, Rita! Mira tú si hicimos bien de avisarle... Pero ¿ves qué fineza?... ¿Si vendrá bueno? ¡Correr tantas leguas sólo por verme..., porque yo se lo mando!... ¡Qué agradecida le debo estar!... ¡Oh!, yo le prometo que no se quejará de mí. Para siempre agradecimiento y amor.

RITA

Voy a traer luces. Procuraré detenerme por allá abajo hasta que vuelvan... Veré lo que dice y qué piensa hacer, porque hallándonos todos aquí, pudiera haber una de Satanás entre la madre, la hija, el novio y el amante; y si no ensayamos bien esta contradanza, [57] nos hemos de perder en ella.

---

[57] Como en la contradanza, "bailan" varias parejas: viejo y niña, niña y madre, tío y sobrino, galán y criado, etc. Se entretejen relaciones complejas entre unas y otras (véase J. Casalduero, *Estudios sobre el teatro español*, M., 1962, p. 185).

DOÑA FRANCISCA

Dices bien... Pero no; él tiene resolución y talento, y sabrá determinar lo más conveniente... Y ¿cómo has de avisarme?... Mira que así que llegue le quiero ver.

RITA

No hay que dar cuidado. Yo le traeré por acá, y en dándome aquella tosecilla seca... ¿Me entiende usted?

DOÑA FRANCISCA

Sí, bien.

RITA

Pues entonces no hay más que salir con cualquiera excusa. Yo me quedaré con la señora mayor; la hablaré de todos sus maridos y de sus concuñados, y del obispo que murió en el mar... Además, que si está allí D. Diego...

DOÑA FRANCISCA

Bien, anda; y así que llegue...

RITA

Al instante.

DOÑA FRANCISCA

Que no se te olvide toser.

RITA

No haya miedo.

DOÑA FRANCISCA

¡Si vieras qué consolada estoy!

RITA

Sin que usted lo jure lo creo.

DOÑA FRANCISCA

¿Te acuerdas, cuando me decía que era imposible apartarme de su memoria, que no habría peligros que le detuvieran, ni dificultades que no atropellara por mí?

RITA

Sí, bien me acuerdo.

DOÑA FRANCISCA

¡Ah!... Pues mira cómo me dijo la verdad.

(Doña Francisca se va al cuarto de Doña Irene; Rita, por la puerta del foro)

ACTO II

~~~~~~

ESCENA PRIMERA

DOÑA FRANCISCA

Nadie parece aún... *(Teatro obscuro. D.ª Francisca se acerca a la puerta del foro y vuelve.)* ¡Qué impaciencia tengo!... Y dice mi madre que soy una simple, que sólo pienso en jugar y reír, y que no sé lo que es amor... Sí, diecisiete años y no cumplidos; pero ya sé lo que es querer bien, y la inquietud y las lágrimas que cuesta.

ESCENA II

DOÑA IRENE, DOÑA FRANCISCA

DOÑA IRENE

Sola y a obscuras me habéis dejado allí.

DOÑA FRANCISCA

Como estaba usted acabando su carta, mamá, por no estorbarla me he venido aquí, que está mucho más fresco.

DOÑA IRENE

Pero aquella muchacha, ¿qué hace que no trae una luz? Para cualquiera cosa se está un año... Y yo que tengo un genio como una pólvora. *(Siéntase.)* Sea todo por Dios... ¿Y D. Diego? ¿No ha venido?

DOÑA FRANCISCA

Me parece que no.

DOÑA IRENE

Pues cuenta, niña, con lo que te he dicho ya. Y mira que no gusto de repetir una cosa dos veces. Este caballero está sentido, y con muchísima razón.

DOÑA FRANCISCA

Bien; sí, señora; ya lo sé. No me riña usted más.

DOÑA IRENE

No es esto reñirte, hija mía; esto es aconsejarte. Porque como tú no tienes conocimiento para considerar el bien que se nos ha entrado por las puertas... Y lo atrasada que me coge, que yo no sé lo que hubiera sido de tu pobre madre... Siempre cayendo y levantando... Médicos, botica... Que se dejaba pedir aquel caribe de D. Bruno (Dios le haya coronado de gloria) los veinte y los treinta reales por cada papelillo de píldoras de coloquíntida y asafétida... [58] Mira que un casamiento como el que vas a hacer, muy pocas le consiguen. Bien que a las oraciones de tus tías, que son unas bienaventuradas, debemos agradecer esta fortuna, y no a tus méritos ni a mi diligencia... ¿Qué dices?

DOÑA FRANCISCA

Yo, nada, mamá.

DOÑA IRENE

Pues nunca dices nada. ¡Válgame Dios, señor!... En hablándote de esto no te ocurre nada que decir.

[58] Purgante el primer medicamento, antiespasmódico el segundo. A la ridiculez de la achacosa D.ª Irene se añade la gracia de la sucesión de esdrújulos, varias veces utilizados para ese fin por D. Leandro; véase por ejemplo el poema a los hijos de González Arnao (R. A., *Broutilles moratiniennes*, en Les Langues Néo-latines, 1965, n.º 172, p. 30).

ESCENA III

RITA, DOÑA IRENE, DOÑA FRANCISCA

(Sale Rita por la puerta del foro con luces y las pone sobre la mesa)

DOÑA IRENE

Vaya, mujer, yo pensé que en toda la noche no venías.

RITA

Señora, he tardado porque han tenido que ir a comprar las velas. Como el tufo del velón la hace a usted tanto daño.

DOÑA IRENE

Seguro que me hace muchísimo mal, con esta jaqueca que padezco... Los parches de alcanfor al cabo tuve que quitármelos; si no me sirvieron de nada. Con las obleas [59] me parece que me va mejor... Mira, deja una luz ahí, y llévate la otra a mi cuarto, y corre la cortina, no se me llene todo de mosquitos.

RITA

Muy bien. *(Toma una luz y hace que se va.)*

DOÑA FRANCISCA

(Aparte, a Rita) ¿No ha venido?

RITA

Vendrá.

DOÑA IRENE

Oyes, aquella carta que está sobre la mesa, dásela al mozo de la posada para que la lleve al instante al

---

[59] *Obleas*: hojas delgadas de masa de harina y agua para envolver un medicamento; esto es, sellos.

correo... *(Vase Rita al cuarto de D.ª Irene.)* Y tú, niña,
¿qué has de cenar? Porque será menester recogernos
presto para salir mañana de madrugada.

DOÑA FRANCISCA

Como las monjas me hicieron merendar...

DOÑA IRENE

Con todo eso... Siquiera unas sopas del puchero para
el abrigo del estómago... *(Sale Rita con una carta en
la mano, y hasta el fin de la escena hace que se va y
vuelve, según lo indica el diálogo.)* Mira, has de ca-
lentar el caldo que apartamos al medio día, y haznos
un par de tazas de sopas, y tráetelas luego que estén.

RITA

¿Y nada más?

DOÑA IRENE

No, nada más... ¡Ah!, y házmelas bien caldositas.

RITA

Sí, ya lo sé.

DOÑA IRENE

Rita.

RITA

(Aparte) Otra. ¿Qué manda usted?

DOÑA IRENE

Encarga mucho al mozo que lleve la carta al instante...
Pero no señor; mejor es... No quiero que la lleve él,
que son unos borrachones, que no se les puede... Has
de decir a Simón que digo yo que me haga el gusto de
echarla en el correo. ¿Lo entiendes?

RITA

Sí, señora.

DOÑA IRENE

¡Ah!, mira.

RITA

(Aparte) Otra.

DOÑA IRENE

Bien que ahora no corre prisa... Es menester que luego
me saques de ahí al tordo y colgarle por aquí, de modo
que no se caiga y se me lastime... *(Vase Rita por la
puerta del foro.)* ¡Qué noche tan mala me dio!...
¡Pues no se estuvo el animal toda la noche de Dios
rezando el Gloria Patri y la oración del Santo Sudario!... [60] Ello, por otra parte, edificaba, cierto. Pero
cuando se trata de dormir...

ESCENA IV

DOÑA IRENE, DOÑA FRANCISCA

DOÑA IRENE

Pues mucho será que D. Diego no haya tenido algún
encuentro por ahí, y eso le detenga. Cierto que es un
señor muy mirado, muy puntual... ¡Tan buen cristiano! ¡Tan atento! ¡Tan bien hablado! ¡Y con qué
garbo y generosidad se porta!... Ya se ve, un sujeto
de bienes y de posibles... ¡Y qué casa tiene! Como
un ascua de oro la tiene... Es mucho aquello. ¡Qué
ropa blanca! ¡Qué batería de cocina! ¡Y qué despen-
sa, llena de cuanto Dios crió!... Pero tú no parece que
atiendes a lo que estoy diciendo.

[60] Cual la dueña, tal el tordo, esto es, gazmoño también. La
Academia de la Historia fue incapaz de respetar el pensamiento del
dramaturgo en su edición de 1830-1831, y sustituyó esta frase por
otra más "decente", o sea, insípida:

"...cantando el Malbruc y la Jota".

DOÑA FRANCISCA

Sí, señora, bien lo oigo; pero no la quería interrumpir a usted.

DOÑA IRENE

Allí estarás, hija mía, como el pez en el agua; pajaritas del aire que apetecieras las tendrías, porque como él te quiere tanto, y es un caballero tan de bien y tan temeroso de Dios... Pero mira, Francisquita, que me cansa de veras el que siempre que te hablo de esto hayas dado en la flor de no responderme palabra... ¡Pues no es cosa particular, señor!

DOÑA FRANCISCA

Mamá, no se enfade usted.

DOÑA IRENE

No es buen empeño de... ¿Y te parece a ti que no sé yo muy bien de dónde viene todo eso?... ¿No ves que conozco las locuras que se te han metido en esa cabeza de chorlito?... ¡Perdóneme Dios!

DOÑA FRANCISCA

Pero... Pues ¿qué sabe usted?

DOÑA IRENE

¿Me quieres engañar a mí, eh? ¡Ay, hija! He vivido mucho, y tengo yo mucha trastienda y mucha penetración para que tú me engañes.

DOÑA FRANCISCA

(Aparte) ¡Perdida soy!

DOÑA IRENE

Sin contar con su madre... Como si tal madre no tuviera... Yo te aseguro que aunque no hubiera sido con esta ocasión, de todos modos era ya necesario sacarte del convento. Aunque hubiera tenido que ir a pie y sola por ese camino, te hubiera sacado de allí... ¡Mire usted qué juicio de niña éste! Que porque ha vivido un poco de tiempo entre monjas, ya se la puso en la cabeza el ser ella monja también... Ni qué entiende ella de eso, ni qué... En todos los estados se sirve a Dios, Frazquita;[61] pero el complacer a su madre, asistirla, acompañarla y ser el consuelo de sus trabajos, ésa es la primera obligación de una hija obediente... Y sépalo usted, si no lo sabe.

DOÑA FRANCISCA

Es verdad, mamá... Pero yo nunca he pensado abandonarla a usted.

DOÑA IRENE

Sí, que no sé yo...

DOÑA FRANCISCA

No, señora. Créame usted. La Paquita nunca se apartará de su madre, ni la dará disgustos.

DOÑA IRENE

Mira si es cierto lo que dices.

DOÑA FRANCISCA

Sí, señora; que yo no sé mentir.

DOÑA IRENE

Pues, hija, ya sabes lo que te he dicho. Ya ves lo que pierdes, y la pesadumbre que me darás si no te portas en un todo como corresponde... Cuidado con ello.

---

[61] Moratín, como muchos de sus contemporáneos, está plenamente convencido de ello; mejor dicho, este argumento se destinaba generalmente a los que con capa de piedad y concretamente por interés mandaban a sus hijas a un convento contra su gusto. Lo gracioso del caso es que quien defiende aquí el punto de vista del autor es la gazmoña D.ª Irene, la cual justifica en realidad sus propias miras interesadas.

DOÑA FRANCISCA

(*Aparte*) ¡Pobre de mí!

ESCENA V

D. DIEGO, DOÑA IRENE, DOÑA FRANCISCA

(*Sale D. Diego por la puerta del foro y deja sobre la mesa sombrero y bastón*)

DOÑA IRENE

Pues ¿cómo tan tarde?

D. DIEGO

Apenas salí tropecé [62] con el rector de Málaga y el doctor Padilla, y hasta que me han hartado bien de chocolate y bollos no me han querido soltar... (*Siéntase junto a D.ª Irene.*) Y a todo esto, ¿cómo va?

DOÑA IRENE

Muy bien.

D. DIEGO

¿Y Doña Paquita?

DOÑA IRENE

Doña Paquita siempre acordándose de sus monjas. Ya la digo que es tiempo de mudar de bisiesto, y pensar sólo en dar gusto a su madre y obedecerla.

D. DIEGO

¡Qué diantre! ¿Conque tanto se acuerda de...?

---

[62] "con el Padre Guardián de San Diego y *el Doctor Padilla...*" (ed. de 1805 y 1806).

DOÑA IRENE

¿Qué se admira usted? Son niñas... No saben lo que quieren, ni lo que aborrecen... En una edad, así, tan...

D. DIEGO

No; poco a poco; eso no. Precisamente en esa edad son las pasiones algo más enérgicas y decisivas que en la nuestra, y por cuanto la razón se halla todavía imperfecta y débil, los ímpetus del corazón son mucho más violentos... *(Asiendo de una mano a D.ª Francisca, la hace sentar inmediata a él.)* Pero de veras, Doña Paquita, ¿se volvería usted al convento de buena gana?... La verdad.

DOÑA IRENE

Pero si ella no...

D. DIEGO

Déjela usted, señora; que ella responderá.

DOÑA FRANCISCA

Bien sabe usted lo que acabo de decirla... No permita Dios que yo la dé que sentir.

D. DIEGO

Pero eso lo dice usted tan afligida y...

DOÑA IRENE

Si es natural, señor. ¿No ve usted que...?

D. DIEGO

Calle usted, por Dios, Doña Irene, y no me diga usted a mí lo que es natural. Lo que es natural es que la chica esté llena de miedo, y no se atreva a decir una palabra que se oponga a lo que su madre quiere que diga... Pero si esto hubiese, por vida mía que estábamos lucidos.

DOÑA FRANCISCA

No, señor; lo que dice su merced, eso digo yo; lo mismo. Porque en todo lo que me mande la obedeceré.

D. DIEGO

¡Mandar, hija mía!... En estas materias tan delicadas los padres que tienen juicio no mandan. Insinúan, proponen, aconsejan; eso sí, todo eso sí; ¡pero mandar!... ¿Y quién ha de evitar después las resultas funestas [63] de lo que mandaron?... Pues ¿cuántas veces vemos matrimonios infelices, uniones monstruosas, verificadas solamente porque un padre tonto se metió a mandar lo que no debiera?... [64] ¡Eh! No, señor; eso no va bien... Mire usted, Doña Paquita, yo no soy de aquellos hombres que se disimulan los defectos. Yo sé que ni mi figura ni mi edad son para enamorar perdidamente a nadie; pero tampoco he creído imposible que una muchacha de juicio y bien criada llegase a quererme con aquel amor tranquilo y constante que tanto se parece a la amistad, y es el único que puede hacer los matrimonios felices. Para conseguirlo no he ido a buscar ninguna hija de familia de estas que viven en una decente libertad... Decente, que yo no culpo lo que no se opone al ejercicio de la virtud. Pero ¿cuál sería entre todas ellas la que no estuviese ya prevenida en favor de otro amante más apetecible que yo? Y en Madrid, figúrese usted en un Madrid... Lleno de estas ideas me pareció que tal vez hallaría en usted todo cuanto yo deseaba.

---

[63]   "Estas resultas esperan
         Tales casamientos"
                    (*El viejo y la niña*, III, 15).

[64] Véase *El viejo y la niña*.
   En las ed. de 1805 y 1806 se añade: "¡Quántas veces una desdichada muger halla anticipada la muerte en el encierro de un claustro porque su madre o su tío se empeñaron en regalar a Dios lo que Dios no quería!".

DOÑA IRENE

Y puede usted creer, señor D. Diego, que...

D. DIEGO

Voy a acabar, señora; déjeme usted acabar. Yo me hago cargo, querida Paquita, de lo que habrán influido en una niña tan bien inclinada como usted las santas costumbres que ha visto practicar en aquel inocente asilo de la devoción y la virtud; [65] pero si a pesar de todo esto la imaginación acalorada, las circunstancias imprevistas, la hubiesen hecho elegir sujeto más digno, sepa usted que yo no quiero nada con violencia. Yo soy ingenuo; mi corazón y mi lengua no se contradicen jamás. Esto mismo la pido a usted, Paquita: sinceridad. El cariño que a usted la tengo no la debe hacer infeliz... Su madre de usted no es capaz de querer una injusticia, y sabe muy bien que a nadie se le hace dichoso por fuerza. Si usted no halla en mí prendas que la inclinen, si siente algún otro cuidadillo en su corazón, créame usted, la menor disimulación en esto nos daría a todos muchísimo que sentir.

DOÑA IRENE

¿Puedo hablar ya, señor?

D. DIEGO

Ella, ella debe hablar, y sin apuntador y sin intérprete.

DOÑA IRENE

Cuando yo se lo mande.

D. DIEGO

Pues ya puede usted mandárselo, porque a ella la toca responder... Con ella he de casarme, con usted no.

---

[65] Es demasiada lisonja para que no quepa en ella cierta ironía por parte del autor; recordemos las lecturas novelescas y las entrevistas de Paquita con su amante.

DOÑA IRENE

Yo creo, señor D. Diego, que ni con ella ni conmigo. ¿En qué concepto nos tiene usted?... Bien dice su padrino, y bien claro me lo escribió pocos días ha, cuando le di parte de este casamiento. Que aunque no la ha vuelto a ver desde que la tuvo en la pila, la quiere muchísimo; y a cuantos pasan por el Burgo de Osma les pregunta cómo está, y continuamente nos envía memorias con el ordinario.

D. DIEGO

Y bien, señora, ¿qué escribió el padrino?... O, por mejor decir, ¿qué tiene que ver nada de eso con lo que estamos hablando?

DOÑA IRENE

Sí señor que tiene que ver; sí señor. Y aunque yo lo diga, le aseguro a usted que ni un padre de Atocha [66] hubiera puesto una carta mejor que la que él me envió sobre el matrimonio de la niña... Y no es ningún catedrático, ni bachiller, ni nada de eso, sino un cualquiera, como quien dice, un hombre de capa y espada,[67] con un empleíllo infeliz en el ramo del viento, [68] que apenas le da para comer... Pero es muy ladino, y sabe de todo, y tiene una labia y escribe que da gusto... Casi toda la carta venía en latín, no le parezca a usted, y muy buenos consejos que me daba en ella... Que no es posible sino que adivinase lo que nos está sucediendo.

D. DIEGO

Pero, señora, si no sucede nada, ni hay cosa que a usted la deba disgustar.

---

[66] Del convento de Sto. Domingo, vulgo de Ntra. Sra. de Atocha, de Dominicos.

[67] De capa y espada: sin títulos académicos.

[68] Ramo del viento: variedad de alcabala pagada por los forasteros en ciertas poblaciones.

DOÑA IRENE

Pues ¿no quiere usted que me disguste oyéndole hablar de mi hija en unos términos que...? ¡Ella otros amores ni otros cuidados!... Pues si tal hubiera... ¡Válgame Dios!..., la mataba a golpes, mire usted... Respóndele, una vez que quiere que hables, y que yo no chiste. Cuéntale los novios que dejaste en Madrid cuando tenías doce años, y los que has adquirido en el convento al lado de aquella santa mujer. [69] Díselo para que se tranquilice, y...

D. DIEGO

Yo, señora, estoy más tranquilo que usted.

DOÑA IRENE

Respóndele.

DOÑA FRANCISCA

Yo no sé qué decir. Si ustedes se enfadan.

D. DIEGO

No, hija mía; esto es dar alguna expresión a lo que se dice; pero enfadarnos no, por cierto. Doña Irene sabe lo que yo la estimo.

DOÑA IRENE

Sí, señor, que lo sé, y estoy sumamente agradecida a los favores que usted nos hace... Por eso mismo...

D. DIEGO

No se hable de agradecimiento; cuanto yo puedo hacer, todo es poco... Quiero sólo que Doña Paquita esté contenta.

---

[69] Es obvio que D.ª Irene se expresa por antífrasis. No obstante, hubo pocos años después un censor bastante lerdo como para juzgar indecente esta frase. Lo que sí tiene, es mucha gracia, por haber acertado sin sospecharlo la pobre mujer.

DOÑA IRENE

¿Pues no ha de estarlo? Responde.

DOÑA FRANCISCA

Sí, señor, que lo estoy.

D. DIEGO

Y que la mudanza de estado que se la previene no la cueste el menor sentimiento.

DOÑA IRENE

No, señor, todo al contrario... Boda más a gusto de todos no se pudiera imaginar.

D. DIEGO

En esa inteligencia puedo asegurarla que no tendrá motivos de arrepentirse después. En nuestra compañía vivirá querida y adorada, y espero que a fuerza de beneficios he de merecer su estimación y su amistad.

DOÑA FRANCISCA

Gracias, señor don Diego... ¡A una huérfana, pobre, desvalida como yo!...

D. DIEGO

Pero de prendas tan estimables que la hacen a usted digna todavía de mayor fortuna.

DOÑA IRENE

Ven aquí, ven... Ven aquí, Paquita.

DOÑA FRANCISCA

¡Mamá!

(Levántase, abraza a su madre y se acarician mutuamente.)

DOÑA IRENE

¿Ves lo que te quiero?

DOÑA FRANCISCA

Sí, señora.

DOÑA IRENE

¿Y cuánto procuro tu bien, que no tengo otro pío sino el de verte colocada antes que yo falte?

DOÑA FRANCISCA

Bien lo conozco.

DOÑA IRENE

¡Hija de mi vida! ¿Has de ser buena?

DOÑA FRANCISCA

Sí, señora.

DOÑA IRENE

¡Ay, que no sabes tú lo que te quiere tu madre!

DOÑA FRANCISCA

Pues ¿qué? ¿No la quiero yo a usted?

D. DIEGO

Vamos, vamos de aquí. *(Levántase D. Diego, y después D.ª Irene.)* No venga alguno y nos halle a los tres llorando como tres chiquillos.

DOÑA IRENE

Sí, dice usted bien.
(Vanse los dos al cuarto de D.ª Irene. Doña Francisca va detrás, y Rita, que sale por la puerta del foro, la hace detener.)

ESCENA VI

RITA, DOÑA FRANCISCA

RITA

Señorita... ¡Eh! chit..., señorita.

DOÑA FRANCISCA

¿Qué quieres?

RITA

Ya ha venido.

DOÑA FRANCISCA

¿Cómo?

RITA

Ahora mismo acaba de llegar. Le he dado un abrazo con licencia de usted, y ya sube por la escalera.

DOÑA FRANCISCA

¡Ay, Dios!... ¿Y qué debo hacer?

RITA

¡Donosa pregunta!... Vaya, lo que importa es no gastar el tiempo en melindres de amor... Al asunto... y juicio... Y mire usted que en el paraje en que estamos la conversación no puede ser muy larga... ahí está.

DOÑA FRANCISCA

Sí... Él es.

RITA

Voy a cuidar de aquella gente... Valor, señorita, y resolución. (*Rita se entra en el cuarto de D.ª Irene.*)

DOÑA FRANCISCA

No, no; que yo también... Pero no lo merece.

ESCENA VII

D. CARLOS, DOÑA FRANCISCA

(Sale D. Carlos por la puerta del foro)

D. CARLOS

¡Paquita!... ¡Vida mía! Ya estoy aquí... ¿Cómo va, hermosa; cómo va?

DOÑA FRANCISCA

Bien venido.

D. CARLOS

¿Cómo tan triste?... ¿No merece mi llegada más alegría?

DOÑA FRANCISCA

Es verdad; pero acaban de sucederme cosas que me tienen fuera de mí... Sabe usted... Sí, bien lo sabe usted... Después de escrita aquella carta, fueron por mí... Mañana a Madrid... Ahí está mi madre.

D. CARLOS

¿En dónde?

DOÑA FRANCISCA

Ahí, en ese cuarto. *(Señalando al cuarto de D.ª Irene.)*

D. CARLOS

¿Sola?

DOÑA FRANCISCA

No, señor.

D. CARLOS

Estará en compañía del prometido esposo. *(Se acerca al cuarto de D.ª Irene, se detiene y vuelve.)* Mejor... Pero ¿no hay nadie más con ella?

DOÑA FRANCISCA

Nadie más, solos están... ¿Qué piensa usted hacer?

D. CARLOS

Si me dejase llevar de mi pasión y de lo que esos ojos me inspiran, una temeridad... Pero tiempo hay... Él también será hombre de honor, y no es justo insultarle porque quiere bien a una mujer tan digna de ser querida... [70] Yo no conozco a su madre de usted ni... Vamos, ahora nada se puede hacer... Su decoro de usted merece la primera atención.

DOÑA FRANCISCA

Es mucho el empeño que tiene en que me case con él.

D. CARLOS

No importa.

DOÑA FRANCISCA

Quiere que esta boda se celebre así que lleguemos a Madrid.

D. CARLOS

¿Cuál?... No. Eso no.

DOÑA FRANCISCA

Los dos están de acuerdo, y dicen...

D. CARLOS

Bien... Dirán... Pero no puede ser.

---

[70] Palabras fundamentales. Carlos obra, como ya dijimos, de un modo opuesto al del galán tradicional por saber oponer a su pasión —sin atenuarla en lo más mínimo— el freno de las conveniencias sociales. Moratín escribe este parlamento recordando la "temeridad" cometida centenares de veces por un protagonista de comedia frente a su competidor, y en las que puedan cometer los jóvenes espectadores de tales comedias.

DOÑA FRANCISCA

Mi madre no me habla continuamente de otra materia. Me amenaza, me ha llenado de temor... Él insta por su parte, me ofrece tantas cosas, me...

D. CARLOS

Y usted, ¿qué esperanza le da?... ¿Ha prometido quererle mucho? [71]

DOÑA FRANCISCA

¡Ingrato!... ¿Pues no sabe usted que...? ¡Ingrato! [72]

D. CARLOS

Sí; no lo ignoro, Paquita... Yo he sido el primer amor.

DOÑA FRANCISCA

Y el último.

D. CARLOS

Y antes perderé la vida que renunciar al lugar que tengo en ese corazón... Todo él es mío... ¿Digo bien? (*Asiéndola de las manos.*)

DOÑA FRANCISCA

¿Pues de quién ha de ser?

D. CARLOS

¡Hermosa! ¡Qué dulce esperanza me anima!... Una sola palabra de esa boca me asegura... Para todo me da valor... En fin, ya estoy aquí... ¿Usted me llama para que la defienda, la libre, la cumpla una obligación mil y mil veces prometida? Pues a eso mismo

---

[71] Nótese el escaso lugar que se concede a la expresión de los celos, contra lo que ocurre en las comedias tradicionales.

[72] Exquisito pudor sugerido por la suspensión de la frase. Además, este "ingrato" se opone a las sartas de injurias "trágicas" que soltaban no pocas veces los protagonistas de las comedias heroicas en acometiéndoles los celos.

vengo yo... Si ustedes se van a Madrid mañana, yo
voy también. Su madre de usted sabrá quién soy...
Allí puedo contar con el favor de un anciano respe-
table y virtuoso, a quien más que tío debo llamar amigo y padre. No tiene otro deudo más inmediato ni más
querido que yo; es hombre muy rico, y si los dones
de la fortuna tuviesen para usted algún atractivo, esta
circunstancia añadiría felicidades a nuestra unión.

DOÑA FRANCISCA

¿Y qué vale para mí toda la riqueza del mundo?

D. CARLOS

Ya lo sé. La ambición no puede agitar a un alma tan
inocente.

DOÑA FRANCISCA

Querer y ser querida... Ni apetezco más ni conozco
mayor fortuna.

D. CARLOS

Ni hay otra... Pero usted debe serenarse, y esperar que
la suerte mude nuestra aflicción presente en durables
dichas.

DOÑA FRANCISCA

¿Y qué se ha de hacer para que a mi pobre madre no
la cueste una pesadumbre?... ¡Me quiere tanto!... Si
acabo de decirla que no la disgustaré, ni me apartaré
de su lado jamás; que siempre seré obediente y buena... ¡Y me abrazaba con tanta ternura! Quedó tan
consolada con lo poco que acerté a decirla... Yo no
sé, no sé qué camino ha de hallar usted para salir de
estos ahogos.

D. CARLOS

Yo le buscaré... ¿No tiene usted confianza en mí?

DOÑA FRANCISCA

¿Pues no he de tenerla? ¿Piensa usted que estuviera yo viva si esa esperanza no me animase? Sola y desconocida de todo el mundo, ¿qué había yo de hacer? Si usted no hubiese venido, mis melancolías me hubieran muerto, sin tener a quién volver los ojos, ni poder comunicar a nadie la causa de ellas... Pero usted ha sabido proceder como caballero y amante, y acaba de darme con su venida la prueba mayor de lo mucho que me quiere. *(Se enternece y llora.)*

D. CARLOS

¡Qué llanto!... ¡Cómo persuade!... Sí, Paquita, yo sólo basto para defenderla a usted de cuantos quieran oprimirla. A un amante favorecido, ¿quién puede oponérsele? Nada hay que temer.

DOÑA FRANCISCA

¿Es posible?

D. CARLOS

Nada... Amor ha unido nuestras almas en estrechos nudos, y sólo la muerte bastará a dividirlas. [73]

ESCENA VIII

RITA, D. CARLOS, DOÑA FRANCISCA

RITA

Señorita, adentro. La mamá pregunta por usted. Voy a traer la cena, y se van a recoger al instante... Y usted, señor galán, ya puede también disponer de su persona.

[73] "Separarlos y matarlos viene a ser lo mismo"
(III, 13).

D. CARLOS

Sí, que no conviene anticipar sospechas... Nada tengo que añadir.

DOÑA FRANCISCA

Ni yo.

D. CARLOS

Hasta mañana. Con la luz del día veremos a este dichoso competidor.

RITA

Un caballero muy honrado, muy rico, muy prudente; con su chupa larga, su camisola limpia y sus sesenta años debajo del peluquín.

(Se va por la puerta del foro)

DOÑA FRANCISCA

Hasta mañana.

D. CARLOS

Adiós. Paquita.

DOÑA FRANCISCA

Acuéstese usted y descanse.

D. CARLOS

¿Descansar con celos?

DOÑA FRANCISCA

¿De quién?

D. CARLOS

Buenas noches... Duerma usted bien, Paquita.

DOÑA FRANCISCA

¿Dormir con amor?

D. CARLOS

Adiós, vida mía.

DOÑA FRANCISCA

Adiós.

(Éntrase al cuarto de Doña Irene)

ESCENA IX

D. CARLOS, CALAMOCHA, RITA

D. CARLOS

¡Quitármela! *(Paseándose inquieto.)* No... sea quien fuere, no me la quitará. Ni su madre ha de ser tan imprudente que se obstine en verificar este matrimonio repugnándolo su hija..., mediando yo... ¡Sesenta años!... Precisamente será muy rico... ¡El dinero!... Maldito él sea, que tantos desórdenes origina.

CALAMOCHA

Pues, señor *(Sale por la puerta del foro),* tenemos un medio cabrito asado, y... a lo menos parece cabrito. Tenemos una magnífica ensalada de berros, sin anapelos [74] ni otra materia extraña, bien lavada, escurrida y condimentada por estas manos pecadoras, que no hay más que pedir. Pan de Meco, [75] vino de la Tercia... [76] Conque si hemos de cenar [77] y dormir, me parece que sería bueno...

D. CARLOS

Vamos... ¿Y adónde ha de ser?

[74] *Tú que coges el berro, guárdate del anapelo.*
[75] Villa del partido de Alcalá, célebre por su pan.
[76] Tal vez Tercia del Camino, concejo antiguo en la provincia de León.
[77] El lector ya habrá notado que en la posada son los criados de los huéspedes los que preparan las comidas.

CALAMOCHA

Abajo... Allí he mandado disponer una angosta y fementida mesa, que parece un banco de herrador.

RITA

¿Quién quiere sopas?
(Sale por la puerta del foro con unos platos, taza, cuchara y servilleta.)

D. CARLOS

Buen provecho.

CALAMOCHA

Si hay alguna real moza que guste de cenar cabrito, levante el dedo.

RITA

La real moza se ha comido ya media cazuela de albondiguillas... Pero lo agradece, señor militar.
(Éntrase al cuarto de D.ª Irene.)

CALAMOCHA

Agradecida te quiero yo, niña de mis ojos.

D. CARLOS

Conque ¿vamos?

CALAMOCHA

¡Ay, ay, ay!... *(Calamocha se encamina a la puerta del foro, y vuelve; hablan él y D. Carlos, con reserva, hasta que Calamocha se adelanta a saludar a Simón.)* ¡Eh! Chit, digo...

D. CARLOS

¿Qué?

CALAMOCHA

¿No ve usted lo que viene por allí?

D. CARLOS

¿Es Simón?

CALAMOCHA

El mismo... Pero ¿quién diablos le...?

D. CARLOS

¿Y qué haremos?

CALAMOCHA

¿Qué sé yo?... Sonsacarle, mentir y... ¿Me da usted licencia para que...?

D. CARLOS

Sí; miente lo que quieras ...¿A qué habrá venido este hombre?

ESCENA X

SIMÓN, D. CARLOS, CALAMOCHA

(Simón sale por la puerta del foro)

CALAMOCHA

Simón, ¿tú por aquí?

SIMÓN

Adiós, Calamocha. ¿Cómo va?

CALAMOCHA

Lindamente.

SIMÓN

¡Cuánto me alegro de...!

D. CARLOS

¡Hombre! ¿Tú en Alcalá? ¿Pues qué novedad es ésta?

SIMÓN

¡Oh, que estaba usted ahí, señorito!... ¡Voto va sanes!

D. CARLOS

¿Y mi tío?

SIMÓN

Tan bueno.

CALAMOCHA

¿Pero se ha quedado en Madrid, o...?

SIMÓN

¿Quién me había de decir a mí...? ¡Cosa como ella! Tan ajeno estaba yo ahora de... Y usted, de cada vez más guapo... ¿Conque usted irá a ver al tío, eh?

CALAMOCHA

Tú habrás venido con algún encargo del amo.

SIMÓN

¡Y qué calor traje, y qué polvo por ese camino! ¡Ya, ya!

CALAMOCHA

Alguna cobranza tal vez, ¿eh?

D. CARLOS

Puede ser. Como tiene mi tío ese poco de hacienda en Ajalvir... [78] ¿No has venido a eso?

SIMÓN

¡Y qué buena maula le ha salido el tal administrador! Labriego más marrullero y más bellaco no le hay en toda la campiña... [79] ¿Conque usted viene ahora de Zaragoza?

[78] D. Leandro tenía otro "poco de hacienda" en Pastrana, no muy lejos, por lo tanto, de allá.
[79] El epistolario de D. Leandro abunda en quejas contra el "administrador" de la casa y huerta de Pastrana. Simón habla, por así decirlo, con conocimiento de causa.

D. CARLOS

Pues... Figúrate tú.

SIMÓN

¿O va usted allá?

D. CARLOS

¿Adónde?

SIMÓN

A Zaragoza. ¿No está allí el regimiento?

CALAMOCHA

Pero, hombre, si salimos el verano pasado de Madrid, ¿no habíamos de haber andado más de cuatro leguas?

SIMÓN

¿Qué sé yo? Algunos van por la posta, y tardan más de cuatro meses en llegar... Debe de ser un camino muy malo.

CALAMOCHA

(*Aparte, separándose de Simón*) ¡Maldito seas tú y tu camino, y la bribona que te dio papilla! [80]

D. CARLOS

Pero aún no me has dicho si mi tío está en Madrid o en Alcalá, ni a qué has venido, ni...

SIMÓN

Bien, a eso voy... Sí señor, voy a decir a usted... Conque... Pues el amo me dijo...

---

[80] Nótese cómo una maldición tan corriente como la de mentar a la madre puede sufrir cierta elaboración literaria que la haga tolerable, sin perder nada de su poder expresivo ("Imitación, no copia...", que dijo Moratín recordando las poéticas clásicas.

ESCENA XI

D. DIEGO, D. CARLOS, SIMÓN, CALAMOCHA

D. DIEGO

(Desde adentro.) No, no es menester; si hay luz aquí. Buenas noches, Rita.

(D. Carlos se turba y se aparta a un extremo del teatro)

D. CARLOS

¡Mi tío!...

D. DIEGO

¡Simón!

(Sale del cuarto de D.ª Irene, encaminándose al suyo; repara en D. Carlos y se acerca a él. Simón le alumbra y vuelve a dejar la luz sobre la mesa)

SIMÓN

Aquí estoy, señor.

D. CARLOS

(Aparte) ¡Todo se ha perdido!

D. DIEGO

Vamos... Pero... ¿quién es?

SIMÓN

Un amigo de usted, señor.

D. CARLOS

(Aparte) ¡Yo estoy muerto!

D. DIEGO

¿Cómo un amigo?... ¿Qué?... Acerca esa luz.

D. CARLOS

Tío.

(En ademán de besar la mano a D. Diego, [81] *que le aparta de sí con enojo)*

D. DIEGO

Quítate de ahí.

D. CARLOS

Señor.

D. DIEGO

Quítate... No sé cómo no le... ¿Qué haces aquí?

D. CARLOS

Si usted se altera y...

D. DIEGO

¿Qué haces aquí?

D. CARLOS

Mi desgracia me ha traído.

D. DIEGO

¡Siempre dándome que sentir, siempre! Pero... *(Acercándose a D. Carlos.)* ¿Qué dices? ¿De veras ha ocurrido alguna desgracia? Vamos... ¿Qué te sucede?... ¿Por qué estás aquí?

CALAMOCHA

Porque le tiene a usted ley, y le quiere bien, y...

D. DIEGO

A ti no te pregunto nada... ¿Por qué has venido de Zaragoza sin que yo lo sepa?... ¿Por qué te asusta el

---

[81] Ademán de respeto corriente en el antiguo régimen. Según cuenta A. Alcalá Galiano en sus *Memorias*, parece que ya empezaba a considerarse excesivo a principios del xix entre las jóvenes generaciones (*B. A. E.*, LXXXIII, p. 262).

verme?... Algo has hecho: sí, alguna locura has hecho que le habrá de costar la vida a tu pobre tío.

D. CARLOS

No, señor; que nunca olvidaré las máximas de honor y prudencia que usted me ha inspirado tantas veces.

D. DIEGO

Pues ¿a qué viniste? ¿Es desafío? ¿Son deudas? ¿Es algún disgusto con tus jefes?... Sácame de esta inquietud, Carlos... Hijo mío, sácame de este afán.

CALAMOCHA

Si todo ello no es más que...

D. DIEGO

Ya he dicho que calles... Ven acá. *(Tomándole de la mano se aparta con él a un extremo del teatro, y le habla en voz baja.)* Dime qué ha sido.

D. CARLOS

Una ligereza, una falta de sumisión a usted... Venir a Madrid sin pedirle licencia primero... Bien arrepentido estoy, considerando la pesadumbre que le he dado al verme.

D. DIEGO

¿Y qué otra cosa hay?

D. CARLOS

Nada más, señor.

D. DIEGO

Pues ¿qué desgracia era aquella de que me hablaste?

D. CARLOS

Ninguna. La de hallarle a usted en este paraje... y haberle disgustado tanto, cuando yo esperaba sorprenderle en Madrid, estar en su compañía algunas semanas y volverme contento de haberle visto.

D. DIEGO

¿No hay más?

D. CARLOS

No, señor.

D. DIEGO

Míralo bien.

D. CARLOS

No, señor... A eso venía. No hay nada más.

D. DIEGO

Pero no me digas tú a mí... Si es imposible que estas escapadas se... No, señor... ¿Ni quién ha de permitir que un oficial se vaya cuando se le antoje, y abandone de ese modo sus banderas?... Pues si tales ejemplos se repitieran mucho, adiós disciplina militar... Vamos... Eso no puede ser.

D. CARLOS

Considere usted, tío, que estamos en tiempo de paz; que en Zaragoza no es necesario un servicio tan exacto como en otras plazas, en que no se permite descanso a la guarnición... Y, en fin, puede usted creer que este viaje supone la aprobación y la licencia de mis superiores, que yo también miro por mi estimación, y que cuando me he venido, estoy seguro de que no hago falta. [82]

D. DIEGO

Un oficial siempre hace falta a sus soldados. El rey le tiene allí para que los instruya, los proteja [83] y les dé ejemplos de subordinación, de valor, de virtud.

---

[82] La justificación va dirigida a D. Diego, pero es también de carácter estético: es preciso motivar la presencia o la entrada de cada protagonista.

[83] El oficial, "padre" de sus soldados, como el rey es "padre" de sus vasallos, o el propietario también "padre" de sus colonos. Un aspecto del paternalismo borbónico.

D. CARLOS

Bien está; pero ya he dicho los motivos...

D. DIEGO

Todos esos motivos no valen nada... ¡Porque le dio la gana de ver al tío!... Lo que quiere su tío de usted [84] no es verle cada ocho días, sino saber que es hombre de juicio, y que cumple con sus obligaciones. Eso es lo que quiere... Pero *(Alza la voz y se pasea con inquietud)* yo tomaré mis medidas para que estas locuras no se repitan otra vez... Lo que usted ha de hacer ahora es marcharse inmediatamente.

D. CARLOS

Señor, si...

D. DIEGO

No hay remedio... Y ha de ser al instante. Usted no ha de dormir aquí.

CALAMOCHA

Es que los caballos no están ahora para correr... ni pueden moverse.

D. DIEGO

Pues con ellos *(A Calamocha)* y con las maletas al mesón de afuera. Usted *(A D. Carlos)* no ha de dormir aquí... Vamos *(A Calamocha)* tú, buena pieza, menéate. Abajo con todo. Pagar el gasto que se haya hecho, sacar los caballos y marchar... Ayúdale tú... *(A Simón.)* ¿Qué dinero tienes ahí?

SIMÓN

Tendré unas cuatro o seis onzas. [85]

(Saca de un bolsillo algunas monedas y se las da a D. Diego)

---

[84] Nótese el cambio de tratamiento destinado a manifestar mayor dureza y severidad. Padre —mejor dicho: tío—, pero también señor y cabeza de familia.

[85] La onza valía 320 reales.

D. DIEGO

Dámelas acá... Vamos, ¿qué haces? *(A Calamocha.)*
¿No he dicho que ha de ser al instante?... Volando.
Y tú *(A Simón)* ve con él, ayúdale, y no te me apartes
de allí hasta que se hayan ido.

(Los dos criados entran en el cuarto de D. Carlos)

ESCENA XII

D. DIEGO, D. CARLOS

D. DIEGO

Tome usted. *(Le da el dinero.)* Con eso hay bastante
para el camino... Vamos, que cuando yo lo dispongo
así, bien sé lo que me hago... ¿No conoces que es
todo por tu bien, y que ha sido un desatino el que
acabas de hacer?... Y no hay que afligirse por eso, ni
creas que es falta de cariño... Ya sabes lo que te he
querido siempre; y en obrando tú según corresponde,
seré tu amigo como lo he sido hasta aquí.

D. CARLOS

Ya lo sé.

D. DIEGO

Pues bien; ahora obedece lo que te mando.

D. CARLOS

Lo haré sin falta.

D. DIEGO

Al mesón de afuera *(A los criados, que salen con los
trastos del cuarto de D. Carlos, y se van por la puerta
del foro.).* Allí puedes dormir, mientras los caballos
comen y descansan... Y no me vuelvas aquí por ningún

pretexto ni entres en la ciudad... ¡Cuidado! Y a eso
de las tres o las cuatro, marchar. Mira que he de saber
a la hora que sales. ¿Lo entiendes?

D. CARLOS

Sí, señor.

D. DIEGO

Mira que lo has de hacer.

D. CARLOS

Sí, señor; haré lo que usted manda.

D. DIEGO

Muy bien... Adiós... Todo te lo perdono... Vete con
Dios... Y yo sabré también cuándo llegas a Zaragoza;
no te parezca que estoy ignorante de lo que hiciste la
vez pasada.

D. CARLOS

¿Pues qué hice yo?

D. DIEGO

Si te digo que lo sé, y que te lo perdono, ¿qué más
quieres? No es tiempo ahora de tratar de eso. Vete.

D. CARLOS

Quede usted con Dios.
(Hace que se va, y vuelve)

D. DIEGO

¿Sin besar la mano a su tío, eh?

D. CARLOS

No me atreví.
(Besa la mano a D. Diego y se abrazan)

D. DIEGO

Y dame un abrazo, por si no nos volvemos a ver.

D. CARLOS

¿Qué dice usted? ¡No lo permita Dios!

D. DIEGO

¡Quién sabe, hijo mío! ¿Tienes algunas deudas? ¿Te falta algo?

D. CARLOS

No, señor; ahora, no.

D. DIEGO

Mucho es, porque tú siempre tiras por largo... Como cuentas con la bolsa del tío... Pues bien; yo escribiré al señor Aznar para que te dé cien doblones de orden mía. [86] Y mira cómo lo gastas... ¿Juegas?

D. CARLOS

No, señor; en mi vida.

D. DIEGO

Cuidado con eso... Conque, buen viaje. Y no te acalores: jornadas regulares y nada más... ¿Vas contento?

D. CARLOS

No, señor. Porque usted me quiere mucho, me llena de beneficios, y yo le pago mal.

D. DIEGO

No se hable ya de lo pasado... Adiós.

---

[86] El doblón valía 60 reales; son pues 6000 reales. Para tener una idea aproximada del poder adquisitivo de dichas sumas, sépase que el precio de los "asientos de luneta" (las actuales butacas de patio) en los teatros era de 12 reales; una libra de ternera valía 4 reales, una docena de huevos o de alcachofas, 5, una gallina 11, una libra de pescado fresco 7, etc. Moratín ganaba cerca de 29000 reales anuales como secretario de la Interpretación de Lenguas, unos 18000 como corrector de comedias antiguas, Santos Díez González sólo unos 13000 como catedrático de los Reales Estudios. Se trata por lo tanto de una suma importante.

D. CARLOS

¿Queda usted enojado conmigo?

D. DIEGO

No, no por cierto... Me disgusté bastante, pero ya se acabó... No me des que sentir. *(Poniéndole ambas manos sobre los hombros.)* Portarse como hombre de bien.

D. CARLOS

No lo dude usted.

D. DIEGO

Como oficial de honor.

D. CARLOS

Así lo prometo.

D. DIEGO

Adiós, Carlos. *(Abrázanse.)*

D. CARLOS

(Aparte, al irse por la puerta del foro.) ¡Y la dejo!... ¡Y la pierdo para siempre!

ESCENA XIII

D. DIEGO

Demasiado bien se ha compuesto... Luego lo sabrá enhorabuena... Pero no es lo mismo escribírselo que... Después de hecho, no importa nada... ¡Pero siempre aquel respeto al tío!... Como una malva es.
(Se enjuga las lágrimas, toma una luz y se va a su cuarto. Queda obscura la escena por un breve espacio)

ESCENA XIV

DOÑA FRANCISCA, RITA

(Salen del cuarto de D.ª Irene. Rita sacará una luz y la pone sobre la mesa)

RITA

Mucho silencio hay por aquí.

DOÑA FRANCISCA

Se habrán recogido ya... Estarán rendidos.

RITA

Precisamente.

DOÑA FRANCISCA

¡Un camino tan largo!

RITA

¡A lo que obliga el amor, señorita!

DOÑA FRANCISCA

Sí; bien puedes decirlo: amor... Y yo ¿qué no hiciera por él?

RITA

Y deje usted, que no ha de ser éste el último milagro. Cuando lleguemos a Madrid, entonces será ella... El pobre D. Diego ¡qué chasco se va a llevar! Y por otra parte, vea usted qué señor tan bueno, que cierto da lástima...

DOÑA FRANCISCA

Pues en eso consiste todo. Si él fuese un hombre despreciable, ni mi madre hubiera admitido su pretensión, ni yo tendría que disimular mi repugnancia... Pero ya es otro tiempo, Rita. D. Félix ha venido, y ya no temo a nadie. Estando mi fortuna en su mano, me considero la más dichosa de las mujeres.

RITA

¡Ay! Ahora que me acuerdo... Pues poquito me lo encargó... Ya se ve, si con estos amores tengo yo también la cabeza... Voy por él. *(Encaminándose al cuarto de D.ª Irene.)*

DOÑA FRANCISCA

¿A qué vas?

RITA

El tordo, que ya se me olvidaba sacarle de allí.

DOÑA FRANCISCA

Sí, tráele, no empiece a rezar como anoche... Allí quedó junto a la ventana... Y ve con cuidado, no despierte mamá.

RITA

Sí; mire usted el estrépito de caballerías que anda por allá abajo... Hasta que lleguemos a nuestra calle del Lobo, [87] número siete, cuarto segundo, no hay que pensar en dormir... Y ese maldito portón, que rechina, que...

DOÑA FRANCISCA

Te puedes llevar la luz.

RITA

No es menester, que ya sé dónde está. *(Vase al cuarto de D.ª Irene.)*

---

[87] Hoy de Echegaray.

ESCENA XV

SIMÓN, DOÑA FRANCISCA

(Sale por la puerta del foro Simón)

DOÑA FRANCISCA

Yo pensé que estaban ustedes acostados.

SIMÓN

El amo ya habrá hecho esa diligencia; pero yo todavía no sé en dónde he de tender el rancho... Y buen sueño que tengo.

DOÑA FRANCISCA

¿Qué gente nueva ha llegado ahora?

SIMÓN

Nadie. Son unos que estaban ahí, y se han ido.

DOÑA FRANCISCA

¿Los arrieros?

SIMÓN

No, señora. Un oficial y un criado suyo, que parece que se van a Zaragoza.

DOÑA FRANCISCA

¿Quiénes dice usted que son?

SIMÓN

Un teniente coronel y su asistente.

DOÑA FRANCISCA

¿Y estaban aquí?

SIMÓN

Sí, señora; ahí en ese cuarto.

DOÑA FRANCISCA

No los he visto.

SIMÓN

Parece que llegaron esta tarde y... A la cuenta habrán despachado ya la comisión que traían... Conque se han ido... Buenas noches, señorita. *(Vase al cuarto de D. Diego.)*

ESCENA XVI

RITA, DOÑA FRANCISCA

DOÑA FRANCISCA

¡Dios mío de mi alma! ¿Qué es esto?... No puedo sostenerme... ¡Desdichada! *(Siéntase en una silla junto a la mesa.)*

RITA

Señorita, yo vengo muerta. *(Saca la jaula del tordo y la deja encima de la mesa; abre la puerta del cuarto de D. Carlos, y vuelve.)*

DOÑA FRANCISCA

¡Ay, que es cierto!... ¿Tú lo sabes también?

RITA

Deje usted, que todavía no creo lo que he visto... Aquí no hay nadie..., ni maletas, ni ropa, ni... Pero ¿cómo podía engañarme? Si yo misma los he visto salir.

DOÑA FRANCISCA

¿Y eran ellos?

RITA

Sí, señora. Los dos.

DOÑA FRANCISCA

Pero ¿se han ido fuera de la ciudad?

RITA

Si no los he perdido de vista hasta que salieron por Puerta de Mártires... Como está un paso de aquí.

DOÑA FRANCISCA

¿Y es ése el camino de Aragón?

RITA

Ese es.

DOÑA FRANCISCA

¡Indigno!... ¡Hombre indigno!

RITA

Señorita.

DOÑA FRANCISCA

¿En qué te ha ofendido esta infeliz?

RITA

Yo estoy temblando toda... Pero... Si es incomprensible... Si no alcanzo a descubrir qué motivos ha podido haber para esta novedad.

DOÑA FRANCISCA

¿Pues no le quise más que a mi vida?... ¿No me ha visto loca de amor?

RITA

No sé qué decir al considerar una acción tan infame.

DOÑA FRANCISCA

¿Qué has de decir? Que no me ha querido nunca, ni es hombre de bien... ¿Y vino para esto? ¡Para engañarme, para abandonarme así! *(Levántase y Rita la sostiene.)*

RITA

Pensar que su venida fue con otro designio, no me parece natural... Celos... ¿Por qué ha de tener celos?... Y aun eso mismo debiera enamorarle más... Él no es cobarde, y no hay que decir que habrá tenido miedo de su competidor.

DOÑA FRANCISCA

Te cansas en vano... Di que es un pérfido, di que es un monstruo de crueldad, y todo lo has dicho.

RITA

Vamos de aquí, que puede venir alguien y...

DOÑA FRANCISCA

Sí, vámonos... Vamos a llorar... ¡Y en qué situación me deja!... Pero ¿ves qué malvado?

RITA

Sí, señora; ya lo conozco.

DOÑA FRANCISCA

¡Qué bien supo fingir!... ¿Y con quién? Conmigo... ¿Pues yo merecí ser engañada tan alevosamente?... ¿Mereció mi cariño este galardón?... ¡Dios de mi vida! ¿Cuál es mi delito, cuál es? *(Rita coge la luz y se van entrambas al cuarto de Doña Francisca.)*

ACTO III

~~~~~~

ESCENA PRIMERA

(Teatro obscuro. Sobre la mesa habrá un candelero con vela apagada y la jaula del tordo. Simón duerme tendido en el banco)

D. DIEGO, SIMÓN

D. DIEGO

(Sale de su cuarto poniéndose la bata)

Aquí, a lo menos, ya que no duerma no me derretiré... [88] Vaya, si alcoba como ella no se... ¡Cómo ronca éste!... Guardémosle el sueño hasta que venga el día, que ya poco puede tardar... *(Simón despierta y se levanta.)* ¿Qué es eso? Mira no te caigas, hombre.

SIMÓN

Qué, ¿estaba usted ahí, señor?

D. DIEGO

Sí, aquí me he salido, porque allí no se puede parar.

SIMÓN

Pues yo, a Dios gracias, aunque la cama es algo dura, he dormido como un emperador.

---

[88] No es ésta la primera vez que se hace hincapié en el calor excesivo de la posada. Le incomodaba mucho a Moratín el bochorno veraniego, como se puede ver en su diario y en sus cartas, debido a cierta debilidad de nervios de que adolecía desde muy joven.

D. DIEGO

¡Mala comparación!... Di que has dormido como un pobre hombre, que no tiene ni dinero, ni ambición, ni pesadumbres, ni remordimientos. [89]

SIMÓN

En efecto, dice usted bien... ¿Y qué hora será ya?

D. DIEGO

Poco ha que sonó el reloj de S. Justo, y si no conté mal, dio las tres.

SIMÓN

¡Oh!, pues ya nuestros caballeros irán por ese camino adelante echando chispas.

D. DIEGO

Sí, ya es regular que hayan salido... Me lo prometió, y espero que lo hará.

SIMÓN

¡Pero si usted viera qué apesadumbrado le dejé! ¡Qué triste!

D. DIEGO

Ha sido preciso.

SIMÓN

Ya lo conozco.

D. DIEGO

¿No ves qué venida tan intempestiva?

---

[89] Eco lejano del tema del "beatus ille" adaptado a la época. La alusión a las "pesadumbres y remordimientos" de los príncipes o de los ricos es argumento muy socorrido contra el deseo de promoción social de muchos que no lo son.

SIMÓN

Es verdad. Sin permiso de usted, sin avisarle, sin haber un motivo urgente... Vamos, hizo muy mal... Bien que por otra parte él tiene prendas suficientes para que se le perdone esta ligereza... Digo... Me parece que el castigo no pasará adelante, ¿eh?

D. DIEGO

¡No, qué! No señor. Una cosa es que le haya hecho volver... Ya ves en qué circunstancias nos cogía... Te aseguro que cuando se fue me quedó un ansia en el corazón... *(Suenan a lo lejos tres palmadas, y poco después se oye que puntean un instrumento.)* ¿Qué ha sonado?

SIMÓN

No sé... Gente que pasa por la calle. Serán labradores.

D. DIEGO

Calla.

SIMÓN

Vaya, música tenemos, según parece.

D. DIEGO

Sí, como lo hagan bien.

SIMÓN

¿Y quién será el amante infeliz que se viene a puntear a estas horas en ese callejón tan puerco?... Apostaré que son amores con la moza de la posada, que parece un mico. [90]

D. DIEGO

Puede ser.

---

[90] ¿Como Maritornes?

SIMÓN

Ya empiezan, oigamos... *(Tocan una sonata desde adentro.)* [91] Pues dígole a usted que toca muy lindamente
el pícaro del barberillo. [92]

[91] Varios editores añaden que "en las primeras ediciones" cantaba D. Carlos en voz baja desde adentro:

"Si duerme y reposa
la bella que adoro,
su paz deliciosa
no turbe mi lloro,
y en sueños corónela
de dichas amor.

Pero si su mente
vagando delira,
si me llama ausente,
si celosa expira,
diréla mi bárbaro
mi fiero dolor."

Proseguía el texto:

"*Don Diego* Buen estilo, pero canta demasiado quedo.
Simón ¿Quiere usted que nos asomemos un poco a ver este
ruiseñor?"

Este pasaje no figura ya en la ed. de 1806 por Villalpando que
tengo a la vista, ni en otra ed. popular que también poseo y contiene unas frases suprimidas en la anterior. Sólo se puede leer, que
yo sepa, en la de 1805 por el mencionado editor.

Recordemos que Bourgoing, en su *Tableau de l'Espagne moderne*
(3.ª ed., 1803, p. 327); escribe lo siguiente a propósito de los lances
parecidos a éste y al que evoca Rita en la escena 9 del primer acto:

"Ces amans, qui sous le balcon de leur maîtresse invisible, soupi-
raient sans espoir leur douloureux martyr et n'avaient que leur
guittare pour témoin et pour interprète, ont été relégués dans les
comédies et les romans" (la ortografía es la del original).

Es posible por lo tanto que para hacer más ejemplares a los dos
jóvenes, para que su modo de obrar en asuntos de amor se diferen-
ciase netamente del de la juventud de su tiempo a la que critica
implícitamente, Moratín haya preferido sustituir una entrevista autén-
tica, realista, por un lance entonces ya más ficticio, más "literario"
que real, según Bourgoing. También es Paquita "de lo que no se
encuentra por ahí", como afirma D. Diego en la escena 1.ª del primer
acto. En cuanto a la cortesía a la francesa que hace la niña a
D. Diego al llegar a la posada, parece tratarse de un saludo ya
anticuado a principios del siglo XIX, pues estaba de moda unos
cuarenta años antes, si hemos de creer al petimetre D. Carlos del
Fray Gerundio de Isla (B. A. E., XV, P. 195).

[92] Tocar la guitarra era, por decirlo así, el segundo oficio del
barbero. Abundan los ejemplos literarios en que esta ocupación va
ligada al concepto de barbero: en *Los aldeanos críticos* (B. A. E.,

D . DIEGO

No; no hay barbero que sepa hacer eso, por muy bien que afeite. [93]

SIMÓN

¿Quiere usted que nos asomemos un poco, a ver?...

D . DIEGO

No, dejarlos... ¡Pobre gente! ¡Quién sabe la importancia que darán ellos a la tal música!... No gusto yo de incomodar a nadie.

(Salen de su cuarto D.ª Francisca y Rita, encaminándose a la ventana. D. Diego y Simón se retiran a un lado, y observan)

SIMÓN

¡Señor!... ¡Eh!... Presto, aquí a un ladito.

D . DIEGO

¿Qué quieres?

SIMÓN

Que han abierto la puerta de esa alcoba, y huele a faldas que trasciende.

D . DIEGO

¿Sí?... Retirémonos.

XV, p. 367), escribe el conde de Peñaflorida que "un libro sin prólogo es lo mismo que un doctor sin mula, un barbero sin guitarra..." En la traducción de *El contrato anulado* de Marsollier por Núñez y Tap en 1802, los violines del original se convierten en una vihuela punteada por un barbero (esc. 26), etc.

[93] Así como "un sastre llamado Salvo y Vela" (*Discurso preliminar, B. A. E.*, II, p. 31) no puede hacer comedias buenas, ni un empleado de la lotería llamado D. Eleuterio se convierte por ensalmo en dramaturgo (*La comedia nueva*). A todos les hace falta el arte, que desconocen y *deben* desconocer, por pertenecer a las clases trabajadoras.

ESCENA II

DOÑA FRANCISCA, RITA, D. DIEGO, SIMÓN

RITA

Con tiento, señorita.

DOÑA FRANCISCA

Siguiendo la pared, ¿no voy bien?
(Vuelven a puntear el instrumento)

RITA

Sí, señora... Pero vuelven a tocar... Silencio...

DOÑA FRANCISCA

No te muevas... Deja... Sepamos primero si es él.

RITA

¿Pues no ha de ser?... La seña no puede mentir.

DOÑA FRANCISCA

Calla... [93 bis] Sí, él es... ¡Dios mío! *(Acércase Rita a la ventana, abre la vidriera y da tres palmadas. Cesa la música.)* Ve, responde... Albricias, corazón. Él es.

SIMÓN

¿Ha oído usted?

D. DIEGO

Sí.

SIMÓN

¿Qué querrá decir esto?

D. DIEGO

Calla.

[93 bis] En la ed. príncipe, cantaba otra vez D. Carlos los hexa-
sílabos de la esc. ant., mejor dicho, los dos primeros.

DOÑA FRANCISCA

(Se asoma a la ventana. Rita se queda detrás de ella. Los puntos suspensivos indican las interrupciones más o menos largas.) Yo soy... Y ¿qué había de pensar viendo lo que usted acababa de hacer?... ¿Qué fuga es ésta?... Rita *(Apartándose de la ventana, y vuelve después a asomarse)*, amiga, por Dios, ten cuidado, y si oyeres algún rumor, al instante avísame... ¿Para siempre? ¡Triste de mí!... Bien está, tírela usted... Pero yo no acabo de entender... ¡Ay, D. Félix! Nunca le he visto a usted tan tímido... *(Tiran desde adentro una carta que cae por la ventana al teatro. D.ª Francisca la busca, y no hallándola vuelve a asomarse.)* No, no la he cogido; pero aquí está sin duda... ¿Y no he de saber yo hasta que llegue el día los motivos que tiene usted para dejarme muriendo?... Sí, yo quiero saberlo de su boca de usted. Su Paquita de usted se lo manda... Y ¿cómo le parece a usted que estará el mío?... No me cabe en el pecho... Diga usted.

(Simón se adelanta un poco, tropieza con la jaula y la deja caer)

RITA

Señorita, vamos de aquí... Presto, que hay gente.

DOÑA FRANCISCA

¡Infeliz de mí!... Guíame.

RITA

Vamos. *(Al retirarse tropieza con Simón. Las dos se van al cuarto de D.ª Francisca.)* ¡Ay!

DOÑA FRANCISCA

¡Muerta voy!

ESCENA III

D. DIEGO, SIMÓN

D. DIEGO

¿Qué grito fue ése?

SIMÓN

Una de las fantasmas, que al retirarse tropezó conmigo.

D. DIEGO

Acércate a esa ventana, y mira si hallas en el suelo un papel... ¡Buenos estamos!

SIMÓN

(Tentando por el suelo, cerca de la ventana.) No encuentro nada, señor.

D. DIEGO

Búscale bien, que por ahí ha de estar.

SIMÓN

¿Le tiraron desde la calle?

D. DIEGO

Sí... ¿Qué amante es éste?... ¡Y dieciséis años y criada en un convento! Acabó ya toda mi ilusión.

SIMÓN

Aquí está. *(Halla la carta, y se la da a D. Diego.)*

D. DIEGO

Vete abajo, y enciende una luz... En la caballeriza o en la cocina... Por ahí habrá algún farol... Y vuelve con ella al instante.

(Vase Simón por la puerta del foro)

ESCENA IV

D. DIEGO

¿Y a quién debo culpar? *(Apoyándose en el respaldo de una silla.)* ¿Es ella la delincuente, o su madre, o sus tías, o yo?... ¿Sobre quién..., sobre quién ha de caer esta cólera, que por más que lo procuro no la sé reprimir?... ¡La naturaleza la hizo tan amable a mis ojos!... ¡Qué esperanzas tan halagüeñas concebí! ¡Qué felicidades me prometía!... ¡Celos!... ¿Yo?... ¡En qué edad tengo celos!... Vergüenza es... Pero esta inquietud que yo siento, esta indignación, estos deseos de venganza, ¿de qué provienen? ¿Cómo he de llamarlos? Otra vez parece que... *(Advirtiendo que suena ruido en la puerta del cuarto de D.ª Francisca, se retira a un extremo del teatro.)* Sí.

ESCENA V

RITA, D. DIEGO, SIMÓN

RITA

Ya se han ido... *(Observa, escucha, asómase después a la ventana y busca la carta por el suelo.)* ¡Válgame Dios!... El papel estará muy bien escrito, pero el señor D. Félix es un grandísimo picarón... ¡Pobrecita de mi alma!... Se muere sin remedio... Nada, ni perros parecen por la calle... ¡Ojalá no los hubiéramos conocido! ¿Y este maldito papel?... Pues buena la hiciéramos si no pareciese... ¿Qué dirá?... Mentiras, mentiras y todo mentira.

SIMÓN

Ya tenemos luz.

(Sale con luz. Rita se sorprende)

RITA

¡Perdida soy!

D. DIEGO

(Acercándose.) ¡Rita! ¿Pues tú aquí?

RITA

Sí, señor; porque...

D. DIEGO

¿Qué buscas a estas horas?

RITA

Buscaba... Yo le diré a usted... Porque oímos un ruido tan grande...

SIMÓN

¿Sí, eh?

RITA

Cierto... Un ruido y... y mire usted *(Alza la jaula que está en el suelo)*: era la jaula del tordo... Pues la jaula era, no tiene duda... ¡Válgate Dios! ¿Si se habrá muerto?... No, vivo está, vaya... Algún gato habrá sido. Preciso.

SIMÓN

Sí, algún gato.

RITA

¡Pobre animal! ¡Y qué asustadillo se conoce que está todavía!

SIMÓN

Y con mucha razón... ¿No te parece, si le hubiera pillado el gato?...

RITA

Se le hubiera comido.
(Cuelga la jaula de un clavo que habrá en la pared)

SIMÓN

Y sin pebre... [94] Ni plumas hubiera dejado.

D. DIEGO

Tráeme esa luz.

RITA

¡Ah! Deje usted, encenderemos ésta *(Enciende la vela que está sobre la mesa)* que ya lo que no se ha dormido...

D. DIEGO

Y doña Paquita, ¿duerme?

RITA

Sí, señor.

SIMÓN

Pues mucho es que con el ruido del tordo...

D. DIEGO

Vamos.

(Se entra en su cuarto. Simón va con él, llevándose una de las luces)

ESCENA VI

DOÑA FRANCISCA, RITA

DOÑA FRANCISCA

¿Ha parecido el papel?

RITA

No, señora.

DOÑA FRANCISCA

¿Y estaban aquí los dos cuando tú saliste?

---

[94] *Pebre*: salsa de pimienta, ajo, perejil y vinagre.

RITA

Yo no lo sé. Lo cierto es que el criado sacó una luz, y me hallé de repente, como por máquina, entre él y su amo, sin poder escapar ni saber qué disculpa darles. *(Coge la luz y vuelve a buscar la carta, cerca de la ventana)*

DOÑA FRANCISCA

Ellos eran, sin duda... Aquí estarían cuando yo hablé desde la ventana... ¿Y ese papel?

RITA

Yo no lo encuentro, señorita.

DOÑA FRANCISCA

Le tendrán ellos, no te canses... Si es lo único que faltaba a mi desdicha... No le busques. Ellos le tienen.

RITA

A lo menos por aquí...

DOÑA FRANCISCA

¡Yo estoy loca! *(Siéntase.)*

RITA

Sin haberse explicado este hombre, ni decir siquiera...

DOÑA FRANCISCA

Cuando iba a hacerlo, me avisaste, y fue preciso retirarnos... Pero ¿sabes tú con qué temor me habló, qué agitación mostraba? Me dijo que en aquella carta vería yo los motivos justos que le precisaban a volverse; que la había escrito para dejársela a persona fiel que la pusiera en mis manos, suponiendo que el verme sería imposible. Todo engaños, Rita, de un hombre aleve que prometió lo que no pensaba cumplir... Vino, halló un competidor, y diría: Pues yo ¿para qué he de molestar a nadie ni hacerme ahora defensor de una mujer?... ¡Hay tantas mujeres!... Cásenla... Yo nada pierdo... Primero es mi tranquilidad que la vida de esa infeliz... ¡Dios mío, perdón!... ¡Perdón de haberle querido tanto!

RITA

¡Ay, señorita! *(Mirando hacia el cuarto de D. Diego.)* Que parece que salen ya.

DOÑA FRANCISCA

No importa, déjame.

RITA

Pero si D. Diego la ve a usted de esa manera...

DOÑA FRANCISCA

Si todo se ha perdido ya, ¿qué puedo temer?... ¿Y piensas tú que tengo alientos para levantarme?... Que vengan, nada importa.

ESCENA VII

D. DIEGO, SIMÓN, DOÑA FRANCISCA, RITA

SIMÓN

Voy enterado, no es menester más.

D. DIEGO

Mira, y haz que ensillen inmediatamente al Moro, mientras tú vas allá. Si han salido, vuelves, montas a caballo y en una buena carrera que des, los alcanzas... ¿Las dos aquí, he?... Conque, vete, no se pierda tiempo.

(Después de hablar los dos, junto al cuarto de D. Diego, se va Simón por la puerta del foro.)

SIMÓN

Voy allá.

D. DIEGO

Mucho se madruga, Doña Paquita.

DOÑA FRANCISCA

Sí, señor.

D. DIEGO

¿Ha llamado ya Doña Irene?

DOÑA FRANCISCA

No, señor... Mejor es que vayas allá, por si ha despertado y se quiere vestir.
(Rita se va al cuarto de D.ª Irene.)

ESCENA VIII

D. DIEGO, DOÑA FRANCISCA

D. DIEGO

¿Usted no habrá dormido bien esta noche?

DOÑA FRANCISCA

No, señor. ¿Y usted?

D. DIEGO

Tampoco.

DOÑA FRANCISCA

Ha hecho demasiado calor.

D. DIEGO

¿Está usted desazonada?

DOÑA FRANCISCA

Alguna cosa.

D. DIEGO

¿Qué siente usted?
(Siéntase junto a D.ª Francisca.)

DOÑA FRANCISCA

No es nada... Así un poco de... Nada..., no tengo nada.

D. DIEGO

Algo será, porque la veo a usted muy abatida, llorosa, inquieta... ¿Qué tiene usted, Paquita? ¿No sabe usted que la quiero tanto?

DOÑA FRANCISCA

Sí, señor.

D. DIEGO

Pues ¿por qué no hace usted más confianza de mí? ¿Piensa usted que no tendré yo mucho gusto en hallar ocasiones de complacerla?

DOÑA FRANCISCA

Ya lo sé.

D. DIEGO

¿Pues cómo, sabiendo que tiene usted un amigo, no desahoga con él su corazón?

DOÑA FRANCISCA

Porque eso mismo me obliga a callar.

D. DIEGO

Eso quiere decir que tal vez soy yo la causa de su pesadumbre de usted.

DOÑA FRANCISCA

No, señor; usted en nada me ha ofendido... No es de usted de quien yo me debo quejar.

D. DIEGO

Pues ¿de quién, hija mía?... Venga usted acá... *(Acércase más.)* Hablemos siquiera una vez sin rodeos ni disimulación... Dígame usted: ¿no es cierto que usted mira con algo de repugnancia este casamiento que se la propone? ¿Cuánto va que si la dejasen a usted entera libertad para la elección no se casaría conmigo?

DOÑA FRANCISCA

Ni con otro.

D. DIEGO

¿Será posible que usted no conozca otro más amable que yo, que la quiera bien, y que la corresponda como usted merece?

DOÑA FRANCISCA

No, señor; no, señor.

D. DIEGO

Mírelo usted bien.

DOÑA FRANCISCA

¿No le digo a usted que no?

D. DIEGO

¿Y he de creer, por dicha, que conserve usted tal inclinación al retiro en que se ha criado, que prefiera la austeridad del convento a una vida más...?

DOÑA FRANCISCA

Tampoco; no señor... Nunca he pensado así.

D. DIEGO

No tengo empeño de saber más... Pero de todo lo que acabo de oír resulta una gravísima contradicción. Usted no se halla inclinada al estado religioso, según parece. Usted me asegura que no tiene queja ninguna de mí, que está persuadida de lo mucho que la estimo, que no piensa casarse con otro, ni debo recelar que nadie me dispute su mano... Pues ¿qué llanto es ése? ¿De dónde nace esa tristeza profunda, que en tan poco tiempo ha alterado su semblante de usted, en términos que apenas le reconozco? ¿Son éstas las señales de quererme exclusivamente a mí, de casarse gustosa conmigo dentro de pocos días? ¿Se anuncian así la alegría y el amor?

(Vase iluminando lentamente la escena, suponiendo que viene la luz del día.)

DOÑA FRANCISCA

Y ¿qué motivos le he dado a usted para tales desconfianzas?

D. DIEGO

¿Pues qué? Si yo prescindo de estas consideraciones, si apresuro las diligencias de nuestra unión, si su madre de usted sigue aprobándola y llega el caso de...

DOÑA FRANCISCA

Haré lo que mi madre me manda, y me casaré con usted.

D. DIEGO

¿Y después, Paquita?

DOÑA FRANCISCA

Después..., y mientras me dure la vida, seré mujer de bien.

D. DIEGO

Eso no lo puedo yo dudar... Pero si usted me considera como el que ha de ser hasta la muerte su compañero y su amigo, dígame usted: estos títulos ¿no me dan algún derecho para merecer de usted mayor confianza? ¿No he de lograr que usted me diga la causa de su dolor? Y no para satisfacer una impertinente curiosidad, sino para emplearme todo en su consuelo, en mejorar su suerte, en hacerla dichosa, si mi conato y mis diligencias pudiesen tanto.

DOÑA FRANCISCA

¡Dichas para mí!... Ya se acabaron.

D. DIEGO

¿Por qué?

DOÑA FRANCISCA

Nunca diré por qué.

D. DIEGO

Pero ¡qué obstinado, qué imprudente silencio!... Cuando usted misma debe presumir que no estoy ignorante de lo que hay.

DOÑA FRANCISCA

Si usted lo ignora, señor D. Diego, por Dios no finja que lo sabe; y si en efecto lo sabe usted, no me lo pregunte.

D. DIEGO

Bien está. Una vez que no hay nada que decir, que esa aflicción y esas lágrimas son voluntarias, hoy llegaremos a Madrid, y dentro de ocho días será usted mi mujer.

DOÑA FRANCISCA

Y daré gusto a mi madre.

D. DIEGO

Y vivirá usted infeliz.

DOÑA FRANCISCA

Ya lo sé. [95]

D. DIEGO

Ve aquí los frutos de la educación. Esto es lo que se llama criar bien a una niña: enseñarla a que desmienta y oculte las pasiones más inocentes con una pérfida disimulación. Las juzgan honestas luego que las ven instruidas en el arte de callar y mentir. Se obstinan en que el temperamento, la edad ni el genio no han de tener influencia alguna en sus inclinaciones, o en que su voluntad ha de torcerse al capricho de quien las gobierna. Todo se las permite, menos la sinceridad. Con tal que no digan lo que sienten, con tal que finjan aborrecer lo que más desean, con tal que se presten a pronunciar, cuando se lo manden, un sí perjuro, sacrílego, origen de tantos escándalos, ya están bien criadas, y se llama excelente educación la que inspira en ellas el temor, la astucia y el silencio de un esclavo.

DOÑA FRANCISCA

Es verdad... Todo eso es cierto... Eso exigen de nosotras, eso aprendemos en la escuela que se nos da... Pero el motivo de mi aflicción es mucho más grande.

D. DIEGO

Sea cual fuere, hija mía, es menester que usted se anime... Si la ve a usted su madre de esa manera, ¿qué ha de decir?... Mire usted que ya parece que se ha levantado.

---

[95] Es difícil imaginar hoy día qué innovación representaba entonces esta clase de diálogo, esta manera sencilla a la par que realista de plantear en las tablas un problema tan importante como el del matrimonio de una hija de familia.

DOÑA FRANCISCA

¡Dios mío!

D. DIEGO

Sí, Paquita; conviene mucho que usted vuelva un poco
sobre sí... No abandonarse tanto... Confianza en Dios...
Vamos, que no siempre nuestras desgracias son tan
grandes como la imaginación las pinta... ¡Mire usted
qué desorden éste! ¡Qué agitación! ¡Qué lágrimas!
Vaya, ¿me da usted palabra de presentarse así..., con
cierta serenidad y...? ¿Eh?

DOÑA FRANCISCA

Y usted, señor... Bien sabe usted el genio de mi madre. Si usted no me defiende, ¿a quién he de volver los
ojos? ¿Quién tendrá compasión de esta desdichada?

D. DIEGO

Su buen amigo de usted... Yo... ¿Cómo es posible que
yo la abandonase..., ¡criatura!..., en la situación dolorosa en que la veo?
(Asiéndola de las manos.)

DOÑA FRANCISCA

¿De veras?

D. DIEGO

Mal conoce usted mi corazón.

DOÑA FRANCISCA

Bien le conozco.
(Quiere arrodillarse; D. Diego se lo estorba, y ambos
se levantan.)

D. DIEGO

¿Qué hace usted, niña?

DOÑA FRANCISCA

Yo no sé... ¡Qué poco merece toda esa bondad una mujer tan ingrata para con usted!... No, ingrata no; infeliz... ¡Ay, qué infeliz soy, señor D. Diego!

D. DIEGO

Yo bien sé que usted agradece como puede el amor que la tengo... Lo demás todo ha sido..., ¿qué sé yo?..., una equivocación mía, y no otra cosa... Pero usted, ¡inocente!, usted no ha tenido la culpa.

DOÑA FRANCISCA

Vamos... ¿No viene usted?

D. DIEGO

Ahora no, Paquita. Dentro de un rato iré por allá.

DOÑA FRANCISCA

Vaya usted presto.

(Encaminándose al cuarto de D.ª Irene, vuelve y se despide de D. Diego besándole las manos.)

D. DIEGO

Sí, presto iré.

ESCENA IX

SIMÓN, D. DIEGO

SIMÓN

Ahí están, señor.

D. DIEGO

¿Qué dices?

SIMÓN

Cuando yo salía de la puerta, los vi a lo lejos, que iban ya de camino. Empecé a dar voces y hacer señas con el pañuelo; se detuvieron, y apenas llegué y le dije al señorito lo que usted mandaba, volvió las riendas, y está abajo. Le encargué que no subiera hasta que le avisara yo, por si acaso había gente aquí, y usted no quería que le viesen.

D. DIEGO

¿Y qué dijo cuando le diste el recado?

SIMÓN

Ni una sola palabra... Muerto viene... Ya digo, ni una sola palabra... A mí me ha dado compasión el verle así tan...

D. DIEGO

No me empieces ya a interceder por él.

SIMÓN

¿Yo, señor?

D. DIEGO

Sí, que no te entiendo yo... ¡Compasión!... Es un pícaro.

SIMÓN

Como yo no sé lo que ha hecho...

D. DIEGO

Es un bribón, que me ha de quitar la vida... Ya te he dicho que no quiero intercesores.

SIMÓN

Bien está, señor.

(Vase por la puerta del foro. D. Diego se sienta, manifestando inquietud y enojo.)

D. DIEGO

Dile que suba.

ESCENA X

D. CARLOS, D. DIEGO

D. DIEGO

Venga usted acá, señorito; venga usted... ¿En dónde has estado desde que no nos vemos?

D. CARLOS

En el mesón de afuera.

D. DIEGO

¿Y no has salido de allí en toda la noche, eh?

D. CARLOS

Sí, señor; entré en la ciudad y...

D. DIEGO

¿A qué?... Siéntese usted.

D. CARLOS

Tenía precisión de hablar con un sujeto... *(Siéntase.)*

D. DIEGO

¡Precisión!

D. CARLOS

Sí, señor... Le debo muchas atenciones, y no era posible volverme a Zaragoza sin estar primero con él.

D. DIEGO

Ya. En habiendo tantas obligaciones de por medio... Pero venirle a ver a las tres de la mañana, me parece mucho desacuerdo... ¿Por qué no le escribiste un papel?... Mira, aquí he de tener... Con este papel que le hubieras enviado en mejor ocasión, no había necesidad de hacerle trasnochar, ni molestar a nadie.

(Dándole el papel que tiraron a la ventana. D. Carlos, luego que le reconoce, se le vuelve y se levanta en ademán de irse.)

D. CARLOS

Pues si todo lo sabe usted, ¿para qué me llama? ¿Por qué no me permite seguir mi camino, y se evitaría una contestación de la cual ni usted ni yo quedaremos contentos?

D. DIEGO

Quiere saber su tío de usted lo que hay en esto, y quiere que usted se lo diga.

D. CARLOS

¿Para qué saber más?

D. DIEGO

Porque yo lo quiero y lo mando. ¡Oiga!

D. CARLOS

Bien está.

D. DIEGO

Siéntate ahí... *(Siéntase D. Carlos.)* ¿En dónde has conocido a esta niña?... ¿Qué amor es éste? ¿Qué circunstancias han ocurrido?... ¿Qué obligaciones hay entre los dos? ¿Dónde, cuándo la viste?

D. CARLOS

Volviéndome a Zaragoza el año pasado, llegué a Guadalajara sin ánimo de detenerme; pero el intendente, en cuya casa de campo nos apeamos, se empeñó en que había de quedarme allí todo aquel día, por ser cumpleaños de su parienta, prometiéndome que al siguiente me dejaría proseguir mi viaje. Entre las gentes convidadas hallé a Doña Paquita, a quien la señora había sacado aquel día del convento para que se esparciese un poco... Yo no sé qué vi en ella, que excitó en mí una inquietud, un deseo constante, irresistible, de mirarla, de oirla, de hallarme a su lado, de hablar con ella, de hacerme agradable a sus ojos... El intendente dijo entre otras cosas..., burlándose..., que yo era muy enamorado, y le ocurrió fingir que me llamaba D. Félix de Toledo. [96] Yo sostuve esa ficción, porque desde luego concebí la idea de permanecer algún tiempo en aquella ciudad, evitando que llegase a noticia de usted... Observé que Doña Paquita me trató con un agrado particular, y cuando por la noche nos separamos, yo quedé lleno de vanidad y de esperanzas, viéndome preferido a todos los concurrentes de aquel día, que fueron muchos. En fin... Pero no quisiera ofender a usted refiriéndole...

D. DIEGO

Prosigue.

D. CARLOS

Supe que era hija de una señora de Madrid, viuda y pobre, pero de gente muy honrada... Fue necesario fiar de mi amigo los proyectos de amor que me obligaban a quedarme en su compañía; y él, sin aplaudirlos ni desaprobarlos, halló disculpas, las más ingeniosas, para

[96] "nombre que dio Calderón a algunos amantes de sus comedias" (ed. de 1805 y 1806).

Así se llaman en efecto los galanes de *También hay duelo en las damas*, *Antes que todo es mi dama*, *Los empeños de un acaso*.

"¿Quisiera que su hijo fuese un rompe-esquinas, mata-siete, perdona-vidas, que galanteara a una dama a cuchilladas, alborotando y escandalizando el pueblo, foragido de la justicia, sin amistad, sin ley y sin Dios? Pues todo esto lo atribuye Calderón a Don Félix de Toledo como una heroicidad grande" (Nicolás F. de Moratín, *Desengaño al teatro español*, B. A. E., VII, p. L).

que ninguno de su familia extrañara mi detención. Como su casa de campo está inmediata a la ciudad, fácilmente iba y venía de noche... Logré que Doña Paquita leyese algunas cartas mías; y con las pocas respuestas que de ella tuve, acabé de precipitarme en una pasión que mientras viva me hará infeliz.

D. DIEGO

Vaya... Vamos, sigue adelante.

D. CARLOS

Mi asistente (que, como usted sabe, es hombre de travesura y conoce el mundo), con mil artificios que a cada paso le ocurrían, facilitó los muchos estorbos que al principio hallábamos... [97] La seña era dar tres palmadas, a las cuales respondían con otras tres desde una ventanilla que daba al corral de las monjas. Hablábamos todas las noches, muy a deshora, con el recato y las precauciones que ya se dejan entender... Siempre fui para ella D. Félix de Toledo, oficial de un regimiento, estimado de mis jefes y hombre de honor... Nunca la dije más, ni la hablé de mis parientes, ni de mis esperanzas, ni la di a entender que casándose conmigo podría aspirar a mejor fortuna; porque ni me convenía nombrarle a usted, ni quise exponerla a que las miras de interés, y no el amor, la inclinasen a favorecerme. De cada vez la hallé más fina, más hermosa, más digna de ser adorada... Cerca de tres meses me detuve allí; pero al fin era necesario separarnos, y una noche funesta me despedí, la dejé rendida a un desmayo mortal, y me fui, ciego de amor, adonde mi obligación me llamaba... Sus cartas consolaron por algún tiempo mi ausencia triste, y en una que recibí pocos días ha, me dijo como su madre trataba de casarla, que primero perdería la vida que dar su mano a otro que a mí; me acordaba mis juramentos, me exhortaba a

---

[97] Como descendiente del criado de la comedia antigua.

cumplirlos... Monté a caballo, corrí precipitado el camino, llegué a Guadalajara, no la encontré, vine aquí... Lo demás bien lo sabe usted, no hay para qué decírselo.

D. DIEGO

¿Y qué proyectos eran los tuyos en esta venida?

D. CARLOS

Consolarla, jurarla de nuevo un eterno amor, pasar a Madrid, verle a usted, echarme a sus pies, referirle todo lo ocurrido, y pedirle, no riquezas, ni herencias, ni protecciones, ni... eso no... Sólo su consentimiento y su bendición para verificar un enlace tan suspirado, en que ella y yo fundábamos toda nuestra felicidad.

D. DIEGO

Pues ya ves, Carlos, que es tiempo de pensar muy de otra manera.

D. CARLOS

Sí, señor.

D. DIEGO

Si tú la quieres, yo la quiero también. Su madre y toda su familia aplauden este casamiento. Ella..., y sean las que fueren las promesas que a ti te hizo..., ella misma, no ha media hora, me ha dicho que está pronta a obedecer a su madre y darme la mano, así que...

D. CARLOS

Pero no el corazón. *(Levántase.)*

D. DIEGO

¿Qué dices?

D. CARLOS

No, eso no... Sería ofenderla... Usted celebrará sus bodas cuando guste; ella se portará siempre como conviene a su honestidad y a su virtud; pero yo he sido el primero, el único objeto de su cariño, lo soy y lo seré... Usted se llamará su marido; pero si alguna o muchas veces la sorprende, y ve sus ojos hermosos inundados en lágrimas, por mí las vierte... No la pregunte usted jamás el motivo de sus melancolías... Yo, yo seré la causa... Los suspiros, que en vano procurará reprimir, serán finezas dirigidas a un amigo ausente. [98]

D. DIEGO

¿Qué temeridad es ésta?

(Se levanta con mucho enojo, encaminándose hacia D. Carlos, que se va retirando.)

D. CARLOS

Ya se lo dije a usted... Era imposible que yo hablase una palabra sin ofenderle... Pero acabemos esta odiosa conversación... Viva usted feliz, y no me aborrezca, que yo en nada le he querido disgustar... La prueba mayor que yo puedo darle de mi obediencia y mi respeto, es la de salir de aquí inmediatamente... Pero no se me niegue a lo menos el consuelo de saber que usted me perdona.

D. DIEGO

¿Conque, en efecto, te vas?

D. CARLOS

Al instante, señor... Y esta ausencia será bien larga.

---

[98]   "Ya nada de ti pretendo
Sino que mi fe, mi amor
Viva en tu memoria eterno.
Quiéreme bien, piensa en mí,
Tal vez hallará consuelo
Mi dolor cuando imagine
Que de la hermosa que pierdo
Alguna lágrima, algún
Tierno suspiro merezco."
                                    (*El viejo y la niña*, II, XI).

D. DIEGO

¿Por qué?

D. CARLOS

Porque no me conviene verla en mi vida... Si las voces que corren de una próxima guerra se llegaran a verificar... entonces...

D. DIEGO

¿Qué quieres decir?
(Asiendo de un brazo a D. Carlos le hace venir más adelante.)

D. CARLOS

Nada... Que apetezco la guerra porque soy soldado.

D. DIEGO

¡Carlos!... ¡Qué horror!... ¿Y tienes corazón para decírmelo?

D. CARLOS

Alguien viene... *(Mirando con inquietud hacia el cuarto de D.ª Irene, se desprende de D. Diego y hace que se va por la puerta del foro. D. Diego va detrás de él y quiere detenerle.)* Tal vez será ella... Quede usted con Dios.

D. DIEGO

¿Adónde vas?... No, señor; no has de irte.

D. CARLOS

Es preciso... Yo no he de verla... Una sola mirada nuestra pudiera causarle a usted inquietudes crueles.

D. DIEGO

Ya he dicho que no ha de ser... Entra en ese cuarto.

D. CARLOS

Pero si...

D. DIEGO

Haz lo que te mando.

(Éntrase D. Carlos en el cuarto de D. Diego.)

ESCENA XI

DOÑA IRENE, D. DIEGO

DOÑA IRENE

Conque, señor D. Diego, ¿es ya la de vámonos?...
Buenos días... *(Apaga la luz que está sobre la mesa.)*
¿Reza usted?

D. DIEGO

(Paseándose con inquietud.) Sí, para rezar estoy ahora.

DOÑA IRENE

Si usted quiere, ya pueden ir disponiendo el chocolate,
y que avisen al mayoral para que enganchen luego
que... Pero ¿qué tiene usted, señor?... ¿Hay alguna
novedad?

D. DIEGO

Sí; no deja de haber novedades.

DOÑA IRENE

Pues ¿qué?... Dígalo usted, por Dios... ¡Vaya, vaya!...
No sabe usted lo asustada que estoy... Cualquiera cosa,
así, repentina, me remueve toda y me... Desde el
último mal parto que tuve, quedé tan sumamente delicada de los nervios... Y va ya para diez y nueve años,
si no son veinte; pero desde entonces, ya digo, cualquiera friolera me trastorna... Ni los baños, ni caldos
de culebra, ni la conserva de tamarindos; [99] nada me
ha servido; de manera que...

---

[99] Laxante.

D. DIEGO

Vamos, ahora no hablemos de malos partos ni de conservas... Hay otra cosa más importante de que tratar... ¿Qué hacen esas muchachas?

DOÑA IRENE

Están recogiendo la ropa y haciendo el cofre para que todo esté a la vela y no haya detención.

D. DIEGO

Muy bien. Siéntese usted... Y no hay que asustarse ni alborotarse *(Siéntanse los dos)* por nada de lo que yo diga; y cuenta, no nos abandone el juicio cuando más le necesitamos... Su hija de usted está enamorada...

DOÑA IRENE

¿Pues no lo he dicho ya mil veces? Sí señor que lo está; y bastaba que yo lo dijese para que...

D. DIEGO

¡Este vicio maldito de interrumpir a cada paso! Déjeme usted hablar.

DOÑA IRENE

Bien, vamos, hable usted.

D. DIEGO

Está enamorada; pero no está enamorada de mí.

DOÑA IRENE

¿Qué dice usted?

D. DIEGO

Lo que usted oye.

DOÑA IRENE

Pero ¿quién le ha contado a usted esos disparates?

D. DIEGO

Nadie. Yo lo sé, yo lo he visto, nadie me lo ha contado, y cuando se lo digo a usted, bien seguro estoy de que es verdad... Vaya, ¿qué llanto es ése?

DOÑA IRENE

¡Pobre de mí! (Llora.)

D. DIEGO

¿A qué viene eso?

DOÑA IRENE

¡Porque me ven sola y sin medios, y porque soy una pobre viuda, parece que todos me desprecian y se conjuran contra mí!

D. DIEGO

Señora Doña Irene...

DOÑA IRENE

Al cabo de mis años y de mis achaques, verme tratada de esta manera, como un estropajo, como una puerca cenicienta, vamos al decir... ¿Quién lo creyera de usted?... ¡Válgame Dios!... ¡Si vivieran mis tres difuntos!... Con el último difunto que me viviera, que tenía un genio como una serpiente...

D. DIEGO

Mire usted, señora, que se me acaba ya la paciencia.

DOÑA IRENE

Que lo mismo era replicarle que se ponía hecho una furia del infierno, y un día del Corpus, yo no sé por qué friolera, hartó de mojicones a un comisario ordenador, [100] y si no hubiera sido por dos padres del

---

[100] "La persona que hai en las provincias donde hai tropas, por cuya mano se distribuyen las órdenes a los otros Comissarios de guerra, que por esto se llama Ordenador" (Dicc. Autorid.⁸).

Carmen, que se pusieron de por medio, le estrella contra un poste en los portales de Santa Cruz. [101]

D. DIEGO

Pero ¿es posible que no ha de atender usted a lo que voy a decirla?

DOÑA IRENE

¡Ay! No, señor; que bien lo sé, que no tengo pelo de tonta, no, señor... Usted ya no quiere a la niña, y busca pretextos para zafarse de la obligación en que está... ¡Hija de mi alma y de mi corazón!

D. DIEGO

Señora Doña Irene, hágame usted el gusto de oírme, de no replicarme, de no decir despropósitos, y luego que usted sepa lo que hay, llore y gima, y grite y diga cuanto quiera... Pero, entretanto, no me apure usted el sufrimiento, por amor de Dios.

DOÑA IRENE

Diga usted lo que le dé la gana.

D. DIEGO

Que no volvamos otra vez a llorar y a...

DOÑA IRENE

No, señor; ya no lloro. (*Enjugándose las lágrimas con un pañuelo.*)

D. DIEGO

Pues hace ya cosa de un año, poco más o menos, que Doña Paquita tiene otro amante. Se han hablado muchas veces, se han escrito, se han prometido amor,

---

[101] Varios editores han subrayado el parecido que tiene el genio irascible del "último difunto" de D.ª Irene con el de D. Santiago Muñoz, ex-militar, padre de Paquita. Tan difícil es asentir como discutir...

fidelidad, constancia... Y, por último, existe en ambos una pasión tan fina, que las dificultades y la ausencia, lejos de disminuirla, han contribuido eficazmente a hacerla mayor. En este supuesto...

DOÑA IRENE

¿Pero no conoce usted, señor, que todo es un chisme inventado por alguna mala lengua que no nos quiere bien?

D. DIEGO

Volvemos otra vez a lo mismo... No señora; no es chisme. Repito de nuevo que lo sé.

DOÑA IRENE

¿Qué ha de saber usted, señor, ni qué traza tiene eso de verdad? ¡Conque la hija de mis entrañas, encerrada en un convento, ayunando los siete reviernes, acompañada de aquellas santas religiosas! ¡Ella, que no sabe lo que es mundo, que no ha salido todavía del cascarón, como quien dice!... Bien se conoce que no sabe usted el genio que tiene Circuncisión... ¡Pues bonita es ella para haber disimulado a su sobrina el menor desliz!

D. DIEGO

Aquí no se trata de ningún desliz, señora Doña Irene; se trata de una inclinación honesta, de la cual hasta ahora no habíamos tenido antecedente alguno. Su hija de usted es una niña muy honrada, y no es capaz de deslizarse... Lo que digo es que la madre Circuncisión, y la Soledad, y la Candelaria, y todas las madres, y usted, y yo el primero, nos hemos equivocado solemnemente. La muchacha se quiere casar con otro, y no conmigo... Hemos llegado tarde; usted ha contado muy de ligero con la voluntad de su hija... Vaya, ¿para qué es cansarnos? Lea usted ese papel, y verá si tengo razón. *(Saca el papel de D. Carlos y se le da a D.ª*

Irene. Ella, sin leerle, se levanta muy agitada, se acerca
a la puerta de su cuarto y llama. Levántase D. Diego
y procura en vano contenerla.)

DOÑA IRENE

¡Yo he de volverme loca!... ¡Francisquita!... ¡Virgen
del Tremedal!... [102] ¡Rita! ¡Francisca!

D. DIEGO

Pero ¿a qué es llamarlas?

DOÑA IRENE

Sí, señor; que quiero que venga y que se desengañe la
pobrecita de quién es usted.

D. DIEGO

Lo echó todo a rodar... Esto le sucede a quien se fía
de la prudencia de una mujer.

ESCENA XII

DOÑA FRANCISCA, RITA, DOÑA IRENE, D. DIEGO

RITA

Señora.

DOÑA FRANCISCA

¿Me llamaba usted?

DOÑA IRENE

Sí, hija, sí; porque el señor D. Diego nos trata de un
modo que ya no se puede aguantar. ¿Qué amores

---

[102] En el s. XVIII se publicaron varias ediciones de la *Historia
de Ntra. Sra. del Tremedal*; en 1793 salió un compendio anónimo
(Cejador, *Historia de la lengua y literatura castellanas*, t. VI, M.,
1917, p. 246).

tienes, niña? ¿A quién has dado palabra de matrimonio? ¿Qué enredos son éstos?... Y tú, picarona... Pues tú también lo has de saber... Por fuerza lo sabes... ¿Quién ha escrito este papel? ¿Qué dice? *(Presentando el papel abierto a D.ª Francisca.)*

RITA

(Aparte a D.ª Francisca.) Su letra es.

DOÑA FRANCISCA

¡Qué maldad!... Señor D. Diego, ¿así cumple usted su palabra?

D. DIEGO

Bien sabe Dios que no tengo la culpa... Venga usted aquí. *(Tomando de una mano a D.ª Francisca, la pone a su lado.)* No hay que temer... Y usted, señora, escuche y calle, y no me ponga en términos de hacer un desatino... Deme usted ese papel... *(Quitándola el papel.)* Paquita, ya se acuerda usted de las tres palmadas de esta noche.

DOÑA FRANCISCA

Mientras viva me acordaré.

D. DIEGO

Pues éste es el papel que tiraron a la ventana... No hay que asustarse, ya lo he dicho. *(Lee.)* Bien mío; si no consigo hablar con usted, haré lo posible para que llegue a sus manos esta carta. Apenas me separé de usted, encontré en la posada al que yo llamaba mi enemigo, y al verle no sé cómo no expiré de dolor. Me mandó que saliera inmediatamente de la ciudad, y fue preciso obedecerle. Yo me llamo D. Carlos, no D. Félix. Don Diego es mi tío. Viva usted dichosa, y olvide para siempre a su infeliz amigo.—Carlos de Urbina.

DOÑA IRENE

¿Conque hay eso?

DOÑA FRANCISCA

¡Triste de mí!

DOÑA IRENE

¿Conque es verdad lo que decía el señor, grandísima picarona? Te has de acordar de mí.

(Se encamina hacia D.ª Francisca, muy colérica, y en ademán de querer maltratarla. Rita y D. Diego lo estorban.)

DOÑA FRANCISCA

¡Madre!... ¡Perdón!

DOÑA IRENE

No, señor; que la he de matar.

D. DIEGO

¿Qué locura es ésta?

DOÑA IRENE

He de matarla.

ESCENA XIII

D. CARLOS, D. DIEGO, DOÑA IRENE, DOÑA FRANCISCA, RITA

(Sale D. Carlos del cuarto precipitadamente; coge de un brazo a D.ª Francisca, se la lleva hacia el fondo del teatro y se pone delante de ella para defenderla. D.ª Irene se asusta y se retira.)

D. CARLOS

Eso no... Delante de mí nadie ha de ofenderla.

DOÑA FRANCISCA

¡Carlos!

D. CARLOS

(A D. Diego.) Disimule usted mi atrevimiento... He visto que la insultaban y no me he sabido contener.

DOÑA IRENE

¿Qué es lo que me sucede, Dios mío? ¿Quién es usted?... ¿Qué acciones son éstas?... ¡Qué escándalo!

D. DIEGO

Aquí no hay escándalos... Ése es de quien su hija de usted está enamorada... Separarlos y matarlos viene a ser lo mismo... Carlos... No importa... Abraza a tu mujer.

(Se abrazan D. Carlos y D.ª Francisca, y después se arrodillan a los pies de D. Diego.)

DOÑA IRENE

¿Conque su sobrino de usted?

D. DIEGO

Sí, señora; mi sobrino, que con sus palmadas, y su música, y su papel me ha dado la noche más terrible que he tenido en mi vida... ¿Qué es esto, hijos míos; qué es esto?

DOÑA FRANCISCA

¿Conque usted nos perdona y nos hace felices?

D. DIEGO

Sí, prendas de mi alma... Sí.
(Los hace levantar con expresión de ternura.)

DOÑA IRENE

¿Y es posible que usted se determina a hacer un sacrificio?...

D. DIEGO

Yo pude separarlos para siempre y gozar tranquilamente la posesión de esta niña amable, pero mi conciencia no lo sufre... ¡Carlos!... ¡Paquita! ¡Qué dolorosa impresión me deja en el alma el esfuerzo que acabo de hacer!... Porque, al fin, soy hombre miserable y débil.

D. CARLOS

Si nuestro amor *(Besándole las manos),* si nuestro agradecimiento pueden bastar a consolar a usted en tanta pérdida...

DOÑA IRENE

¡Conque el bueno de D. Carlos! Vaya que...

D. DIEGO

Él y su hija de usted estaban locos de amor, mientras usted y las tías fundaban castillos en el aire, y me llenaban la cabeza de ilusiones, que han desaparecido como un sueño... Esto resulta del abuso de autoridad, de la opresión que la juventud padece; éstas son las seguridades que dan los padres y los tutores, y esto lo que se debe fiar en el sí de las niñas... Por una casualidad he sabido a tiempo el error en que estaba... ¡Ay de aquellos que lo saben tarde!

DOÑA IRENE

En fin, Dios los haga buenos, y que por muchos años se gocen... Venga usted acá, señor; venga usted, que quiero abrazarle. *(Abrazando a D. Carlos. D.ª Francisca se arrodilla y besa la mano a su madre.)* Hija, Francisquita. ¡Vaya! Buena elección has tenido... Cierto que es un mozo muy galán... Morenillo, pero tiene un mirar de ojos muy hechicero.

RITA

Sí, dígaselo usted, que no lo ha reparado la niña... Señorita, un millón de besos. *(Se besan D.ª Francisca y Rita.)*

DOÑA FRANCISCA

Pero ¿ves qué alegría tan grande?... ¡Y tú, como me quieres tanto!... Siempre, siempre serás mi amiga.

D. DIEGO

Paquita hermosa *(Abraza a D.ª Francisca)*, recibe los primeros abrazos de tu nuevo padre... No temo ya la soledad terrible que amenazaba a mi vejez... Vosotros *(Asiendo de las manos a D.ª Francisca y a D. Carlos)* seréis la delicia de mi corazón; y el primer fruto de vuestro amor..., sí, hijos, aquél..., no hay remedio, aquél es para mí. Y cuando le acaricie en mis brazos, podré decir: a mí me debe su existencia este niño inocente; si sus padres viven, si son felices, yo he sido la causa.

D. CARLOS

¡Bendita sea tanta bondad!

D. DIEGO

Hijos, bendita sea la de Dios.

FIN

ÍNDICE DE LÁMINAS

ESTE LIBRO
SE TERMINÓ DE IMPRIMIR
EL DÍA 2 DE SEPTIEMBRE DE 1987

ÚLTIMOS TÍTULOS PUBLICADOS